ウクライナ戦争で激変した地政学リスク

# 次に来る日本のエネルギー危機

熊谷　徹

青春新書
INTELLIGENCE

# はじめに

## ウクライナ戦争でドイツを襲ったエネルギー危機。日本も他人事ではすまされない理由

最近日本の知人と話すと、「2022年のウクライナ戦争勃発以降、電気料金が驚くほど高くなった」という嘆きをよく聞く。「電気やガスの使用量は増えていないのに、支払う料金が増えた」とか、「電気料金が突然上がったが、銀行口座の残高が少なかったので、電気料金を引き落とせなかった」という声も聞いた。

経済産業省は2023年5月19日、電力会社7社が申請していた規制料金（国の規制を受けている電気料金）の引き上げを認可した。これによって家庭向けの電気料金は2023年6月1日から、5月に比べて800円から2700円、上昇した。

我々日本人は、2022年以来、物価上昇に頭を悩ませている。総務省によると、日本の2022年度の消費者物価指数は、前年度に比べて3・0％上昇した（天候による変動が大きい生鮮食料品を除いた数字）。第2次オイルショックの影響が続いていた1981

年以来、約41年ぶりの高い水準だ。

久方ぶりのインフレは、多くの日本人の家計を圧迫している。ある人は「コロナ・パンデミックで苦境に陥っていたものの、何とか持ちこたえていた店や会社が、ウクライナ戦争勃発後のインフレによってとどめを刺されて、廃業に追い込まれる例が増えている」と語った。

インフレの大きな原因の一つは、電気やガスなどエネルギー価格の高騰だ。総務省によると2023年1月の電力価格は前年同月比で15・3%、ガス価格は18・2%上昇した。日本では電気・ガス料金を気にしない人が多かったが、2桁の上昇にはさすがに驚きを隠せないでいる。

これまで日本では、「電気やガスはいつでも好きなだけ使えるもの」と思っている人が多かったのではないだろうか。

朝起きて、壁のスイッチを押すと部屋に電灯がともる。お湯を沸かすためにガスコンロのスイッチをひねれば、火がつく。夏にエアコンのリモコンのボタンを押せば、冷房が作動して涼しくなる。冬には、同じリモコンのボタンを暖房に切り替えれば、部屋が暖かくなる。風呂場の蛇口をひねれば、ガスで暖められたお湯が出てくる。ＰＣやタブレットの電源を入れれば、勝手に無線ＬＡＮでインターネットにつながる。快適で、便利な暮らしだ。

私たちは、こうした生活を毎日当たり前のように繰り返している。いちいち「スイッチを押しても、電灯がつかなかったらどうしよう」とか、「トイレの水が流れなかったらどうしよう」と考えることなく、日々の暮らしを送っている。

私は、１９９０年から33年間ドイツで働いているが、この国でも、ほとんどの市民は「電気やガスが自由に使えるのは当たり前」と考え、料金にもあまり注意を払っていなかった。

だが安いエネルギーをいくらでも自由に使える暮らしというのは、本当に当たり前なのだろうか？

ドイツでは、２０２２年2月24日にロシアがウクライナへの侵攻を開始して以来、市民は頭をガツンと殴られるような変化を経験した。戦争をきっかけに、エネルギーに対する意識が根底から覆ったのだ。

49年間にわたって西欧に天然ガスを送り続け、近年はドイツが輸入する天然ガスの多くを供給していたロシアが天然ガスの輸出を打ち切るという、初めての事態が起きた。そのため、一部のエネルギー供給企業は、顧客に対して、ガス・電気の料金を2倍もしくはそれ以上に引き上げると通告した。「ロシアはエネルギーを政治的な武器として使わない」と固く信じていたドイツの「常識」が打ち砕かれた。

ドイツの家庭の約半分が、ガスを暖房に使っている。このため2022年の夏には、多くの人々が「2022年から2023年の冬にはガスが不足して、寒さに凍えるのではないか」とか「ガス料金が高騰して、払えなくなるのではないか」という強い不安にかられた。

さらに産業界も震撼させた。日本と同じように天然資源に乏しいドイツは、外国から原材料を輸入して、自動車など付加価値の高い製品をつくって外国に輸出することで、国内総生産（GDP）や雇用を増やしてきた。ガスや電気が不足したり、料金が高騰したりした場合、企業の生産活動にも支障が出る。2022年夏から秋にかけて、物づくり大国の基盤を支えるエネルギーの供給が脅かされ、製造業界や市民は、一時パニックに近い反応を示した。消費者センターの相談窓口で泣き出す市民も現れた。

# ウクライナ戦争でドイツを襲ったエネルギー危機。日本も他人事ではすまされない理由

エネルギー価格の高騰のために、ドイツの物価は2022年に6・9％上昇し、1949年の西ドイツ建国以来最悪のインフレがこの国を襲った。「安価な電気やガスを自由に使えるのは、当たり前」というドイツ人たちの常識は、2022年2月24日を境に通用しなくなった。

私は2022年夏と2023年春に日本を訪れて、ビジネスパーソンやジャーナリストたちと話したが、欧州から遠く離れていることもあり、ドイツほどの切迫感は感じられなかった。日本でも電気・ガス料金の値上げが続いているが、ドイツほど値上げ率は大きくない。

日本では「今起きている電気・ガス料金の値上げは一過性のものであり、いずれ沈静化する」と思っている人が多いかもしれない。だがドイツを襲ったエネルギー情勢の急変は、我々日本人にとっても他人事ではない。

2021年にドイツが外国から輸入していた天然ガスのうち、ロシアへの依存度は約6割だった。ドイツはウクライナ侵攻後、ロシアによって突然梯子（はしご）を外されて、一時市民・企業はパニックに近い反応を示した。一方、日本は外国から輸入する原油の9割以上を中

東地域に依存している。つまり日本の中東依存度の高さは、ドイツのロシア依存度の比ではない。国民生活や経済の土台を支える電気やガスの供給が、外国の事情によって左右されるという点では、日本もドイツと同じ状況に立たされている。

さらに、国際エネルギー機関（IEA）のデータバンクで日本のエネルギー自給率を調べて、驚いた。2020年の日本のエネルギー自給率は、わずか11％。この自給率は、米国（106％）の約10分の1にすぎない。G7（主要7ヶ国）の中で最も低い。

ドイツもエネルギーの35％しか自給できていないが、日本の自給率はさらに低く、ドイツの約3分の1にとどまっている。今日のようなエネルギー危機の時代に自給率が低いことは、世界有数の物づくり大国・日本とドイツにとって、深刻な問題だ。

ロシアのウクライナ侵攻は、世界のエネルギー情勢を根本から変えた。我が国にとって重要なエネルギー源である液化天然ガス（LNG）を調達するための激しい競争も始まっている。それにもかかわらず、日本政府は2030年の発電量の41％を化石燃料でまかなう、というシナリオに固執している。この政策は、世界の脱炭素の流れに逆行するだけでなく、ドイツが過去半世紀にわたってロシアからの化石燃料に盲目的に依存して失敗した

## （図表0-1）日本のエネルギー自給率はわずか１１％

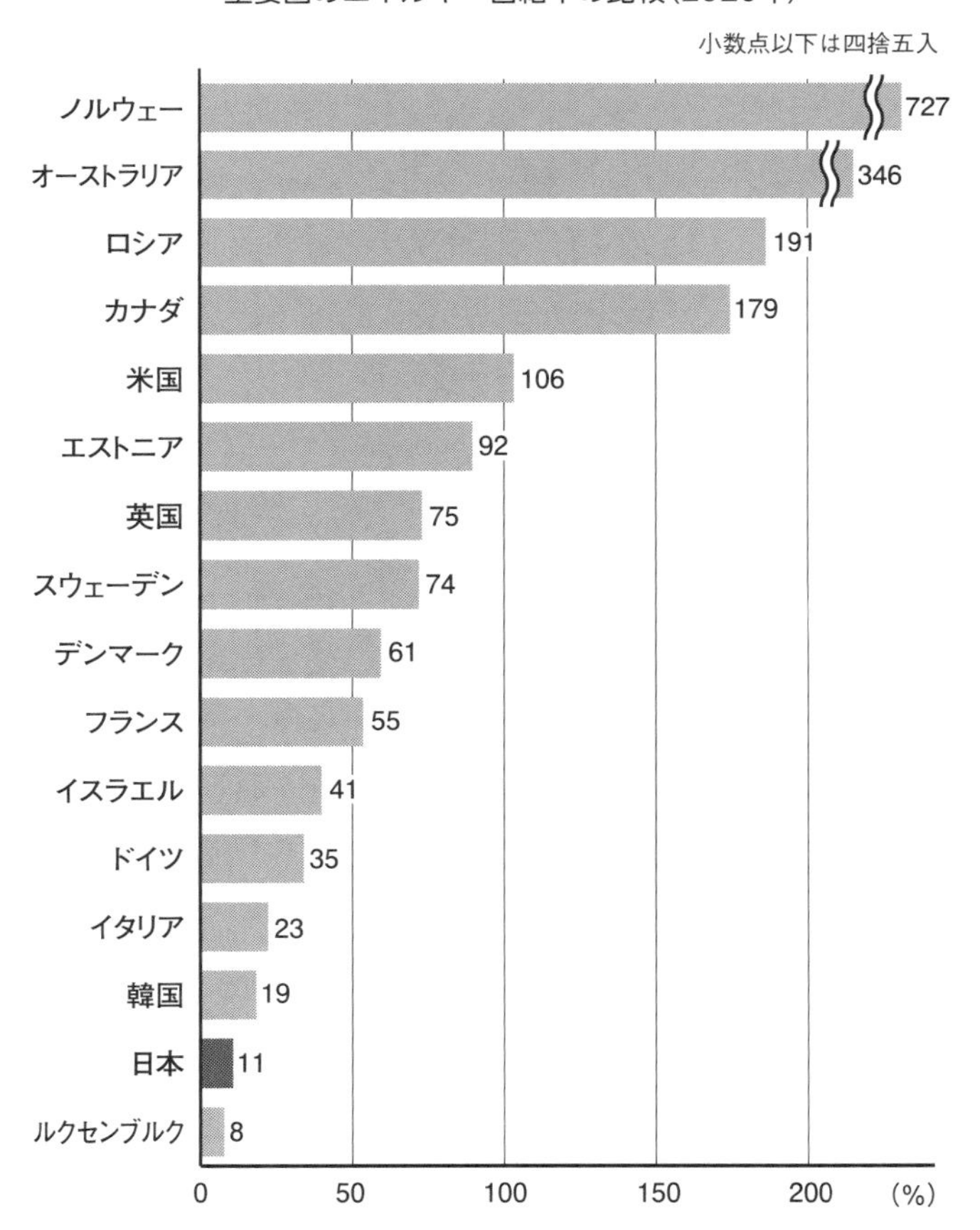

動きと二重写しになって見える。
これに対し、日本以外の国々、特に欧州では化石燃料以外のエネルギー源、特に再生可能エネルギー（再エネ）の拡大によって、一国・一地域への依存度を減らす動きが加速している。世界全体でエネルギーの潮流が激変していることに、我々日本人も目を開き、対策を考える必要がある。そう考えて、本書を執筆することにした。

2023年7月　ミュンヘンにて

熊谷　徹

（注）・為替レートは、1ユーロ＝150円、1ドル＝140円で統一している。
・再生可能エネルギーは「再エネ」と表記する。

次に来る日本のエネルギー危機　目次

はじめに

ウクライナ戦争でドイツを襲ったエネルギー危機。日本も他人事ではすまされない理由　3

第1章

## ロシアのウクライナ侵攻でドイツの電気・ガス料金が大爆発

日本人が知っておきたい、エネルギー源を一地域に依存するリスク

電気・ガス料金が突然2倍に⁉　22
30万世帯が料金滞納で電気を止められている　27
ドイツ独特の精算方式の怖さ　29
極寒のドイツで真冬にお湯のシャワーを使えない？　32
エアコンなしで日本の真夏を過ごせるか　33
エネルギー調達コストの高騰が中小企業を直撃　35

目次


このまま高騰が続けば産業の空洞化、失業者の急増も　38
欧州のガス価格と電力価格は連動している　41
エネルギー価格高騰でインフレ率が過去最高に　43
パン、牛乳、バターの値段も軒並み高騰　44
エネルギー貧民を救え！　ドイツ政府の激変緩和措置　49
ガス料金の上限設定で負担を大幅軽減　50
「天然ガス緊急事態」を覚悟したドイツ政府　52
暖冬が天然ガス不足からドイツを救った　56
産業界・市民によるガス節約も貢献　58
ロシアへの経済制裁は空振り？　ちゃっかり〝漁夫の利〟を得た中国　61
この先の最大の懸念はパイプラインの破壊工作　63

第2章

# なぜドイツはロシアに天然ガスを依存するようになったのか

## 中東に原油の9割を依存する日本が、同じ過ちを犯さないために

天然ガス輸入量の60%をロシアに依存していたドイツ　68
きっかけは第一次オイルショック　70
ドイツがソ連と協調したもう一つの理由　72
東西冷戦中も天然ガスを西欧諸国に供給　74
ドイツの元首相がロシアの走狗(そうく)に？　79
ロシア企業からの毎年1億円を超える報酬　83
メルケル前首相の「事なかれ主義」で事態が悪化　86
クリミア併合の暴挙にもかかわらずパイプライン建設を許可　89
ドイツ国内の地下天然ガス貯蔵設備をロシアに売り渡す　91

むなしく響く「ロシアとの対話を維持しておくことが重要」の弁明 93

## 第3章 いまだロシアからの天然ガス輸入を続ける日本のリスク

### 万が一、輸入がストップした時に起こる小さくない影響

日本もロシアから少なくない量の天然ガスを輸入している 98
「ロシアからの輸入を止められたら、逼迫リスクを起こしかねない」 100
日本はサハリン2への参加を継続 102
ロシアの天然ガスを買うことは、ウクライナ侵攻を間接的に支えることに 106
「欧州人は、毎日約10億ドルをプーチン大統領に払っている」 111
ロシアからの天然ガス禁輸を発表したドイツ 115

旗幟を鮮明にすることは、欧州ではコンプライアンスの一部 118
ロシア政府が突如行った、西側企業への対抗策 121
日本が原油の92・7％を依存する中東の政情リスク 124
アメリカの影響力低下がもたらす不安定要因 130
中東にも「ブラック・スワン」が舞い降りる？ 133
エネルギー自給率の早急な改善を 136

## 第4章 ウクライナ戦争で書き換えられた世界のエネルギー地図

### 欧州の脱ロシア、中国のエネルギー需要急増…で資源の争奪戦が始まった

日本でも電力価格が上昇 142

日本の電気料金はまだまだ上がる?! 146
電気料金が上がる日本ならではの事情 148
中国のゼロ・コロナ政策の撤廃と、エネルギー需要の拡大 152

## 第5章 「エネルギー安全保障」で大きく後れを取る日本
### 経済の非グローバル化、ローカル化が日本を救う!?

「エネルギー安全保障」を高めるために必要な取り組み 156
リスクを最小限にする知恵 159
再エネ拡大は地球温暖化対策のためだけではなくなった 161
ドイツ政府が行った思い切った施策 164

エネルギー安全保障が「経済安全保障」に直結　167
再エネの発電コストは本当に高いのか　169
原子力発電をめぐる欧州諸国の温度差　172
原子力発電を進めることで起こる新たなロシア依存　175
再エネ拡大で中国依存が高まるジレンマ　178
経済安全保障のために希少資源のリサイクル推進を　180

第6章

## ウクライナ戦争後の日本のエネルギー危機を回避するために

### エネルギーを知ることは、自分たちの生活を守ること

ウクライナ戦争前までは電気・ガス料金に関心が薄かったドイツ人　184
エネルギーのリスクマネジメントが薄れてきている日本人　186

ドイツで原子炉を廃止できた決断の背景 189
エネルギー情勢の激変から日本人の生活を守る6つの提言 190
生活安全保障のためにワークライフバランスの改善を 192
日本人一人ひとりに今、求められていること 194

おわりに 196

DTP・図版作成／エヌケイクルー

# 第1章

# ロシアのウクライナ侵攻で
# ドイツの電気・ガス料金が大爆発

## 日本人が知っておきたい、エネルギー源を一地域に依存するリスク

## ▼電気・ガス料金が突然2倍に⁉

暖房や発電に使われる天然ガスや原油、石炭などのエネルギー源を一国・一地域に依存することのリスクを知ってもらうために、２０２２年２月から２０２３年冬にかけて、ドイツで起こったエネルギー危機と、それに伴う国民生活や経済活動の混乱についてお伝えしよう。

ロシアのウクライナ侵攻が始まってから約８ヶ月経った２０２２年11月。戦争の影響がエネルギー危機という形をとって、ドイツ市民の生活を直撃した。

ドイツ南部・バイエルン州の州都ミュンヘンは、ベルリン、ハンブルクに次ぐドイツ第三の都市である。給料が高い勤め先が多く、仕事を求めてここに移り住む人が後を絶たないので、約１５６万人の人口は増える一方だ。大手自動車メーカーのＢＭＷ、電機・電子メーカーのジーメンス、大手保険会社アリアンツ、世界最大の再保険会社ミューニック・リーなどの本社がある他、ＩＴ企業マイクロソフト、グーグル、アップル、ＩＢＭなどがドイツ本社や研究所、次世代半導体や人工知能のデザインセンターを置くブームタウンである。ＩＴ企業が続々進出していることから、ミュンヘンを流れる川の名前を使って、シリコン・バレーならぬ「イザー・バレー」という異名もある。

その経済活動にとって血液とも言うべきエネルギーを、企業・市民に供給しているのは、シュタットヴェルケ・ミュンヘン（ＳＷＭ）だ。この町で最も重要な地域エネルギー企業である。

ドイツでは日本と異なり、地方自治体が運営する子会社が市民に電気・ガスを売るケースが多い。ＳＷＭもミュンヘン市当局が所有しており、75万世帯の家庭の約95％に電気を供給している。ドイツにはこのようなローカル電気・ガス会社が約１０００社ある。売上高で言うと、ＳＷＭはドイツ最大のシュタットヴェルケ（自治体が出資する事業者）だ。

そのＳＷＭが２０２２年11月３日に行った発表は、市民にショックを与えた。ＳＷＭは、「ロシアの天然ガス供給停止により天然ガスの卸売価格が上昇した。天然ガス価格に連動して電力卸売市場での価格が高騰したため、２０２３年１月１日から電気料金を約２倍に引き上げる」と企業・市民に通告したのだ。

同社の２０２２年７月１日の料金表によると、電力１キロワット時（kWh）あたりの価格

(図表1-1)ドイツの電力会社が一挙に料金の倍増を通告

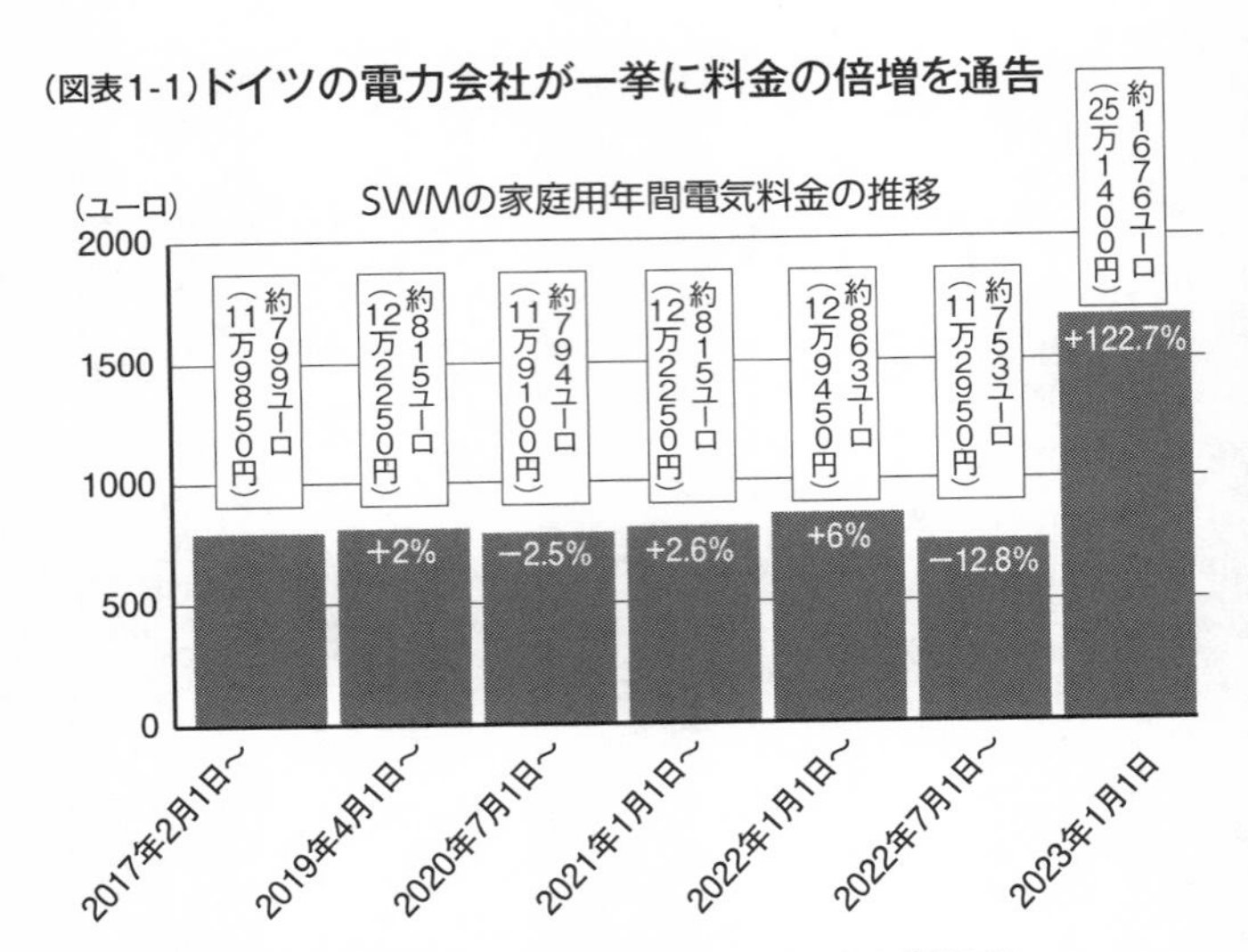


(注)・年間電力消費量が2500kWh、2人家族の標準世帯の基本供給契約。
・2022年7月1日に電気料金が12.82%減った理由は、政府が市民の負担を減らすために、再生可能エネルギー拡大を目的としたEEG賦課金を廃止し、政府予算でまかなうことにしたため。小数点以下は四捨五入。

出所:SWM ウェブサイト2022年11月3日

は24・97セント（37・5円）だった。その価格が、2023年1月1日からは約2・5倍も上昇して、61・89セント（92・8円）にはね上がることになった。

この結果、毎年2500kWhの平均的電力量を消費する標準家庭が月々支払う電気料金は、これまでの62・71ユーロ（9407円）から2倍以上増えて、139・64ユーロ（2万946円）になった。年間電気料金は、約753ユーロ（11万2950円）から約1676ユーロ（25万1400円）に高騰することになった（図

（図表1-2）市民たちは「ガス・電気料金が約2倍になる」と通告された

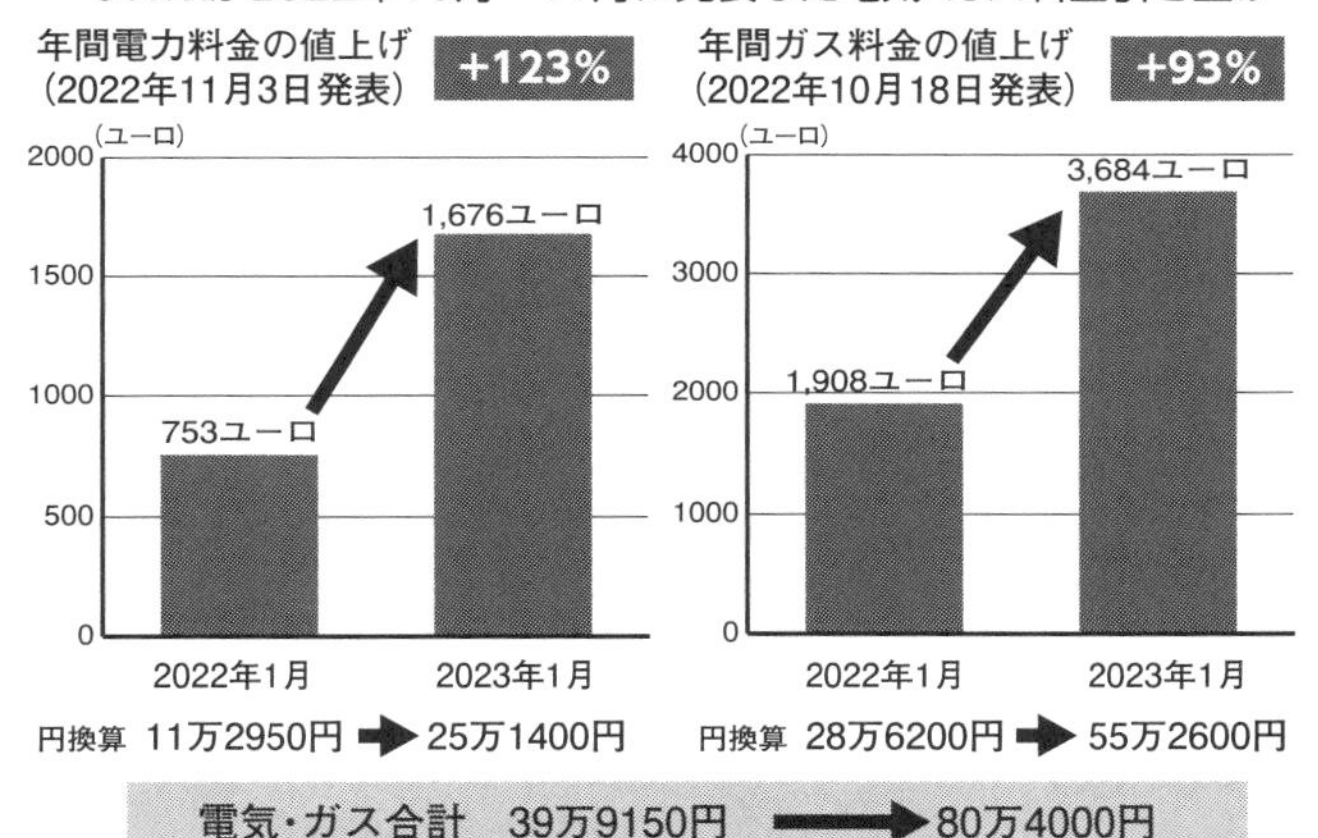


（注）SWMが2022年10月〜11月に発表したガス・電気料金を使って計算した。ただしドイツ政府が2023年1月1日以降、補助金を投じて激変緩和措置を実施したので、実際の値上げ幅はこれよりも少なくなった。小数点以下は四捨五入。

出所：SWMウェブサイト2022年11月3日など

表1−1参照）。

これまで、電気代の値上がり幅は、1年間にせいぜい2000〜7000円程度だった。それが2023年には、一挙に約14万円も増えるというのだ。私は33年間ドイツに住んでいるが、これほど急激な電気代の値上がりは経験したことがない。

日本企業と違って、ドイツの企業は顧客の感情に忖度しない。約2倍の料金引き上げも、当然のことのように、ごく事務的に手紙やメールで通告する。

日本でも2023年6月1日か

ら、電力会社が家庭向けの規制料金（国の規制を受けている電気料金）を引き上げたが、その引き上げ幅は平均約20％で、ドイツのように、電気料金の倍増を顧客に通告した会社はなかった。

電気代とガス代のトータルでどれくらい増えるかを計算した。その結果、SWMが例として使った標準家庭（年間電力消費量2500kWh、年間ガス消費量2万kWh）では、2022年1月の段階で年間39万9150円だった電気・ガス料金の負担が約40万円増えて、80万4000円になることがわかった（図表1－2参照）。エネルギー費用が1年間で2倍以上になるという異常事態だ。

私はSWMからガスや電気を買っていないが、同社の地域暖房を利用している。私が住むアパートは集中暖房（セントラル・ヒーティング）方式である。SWMが家庭などからのゴミを燃やす際に出る熱で水を温め、温水をパイプで各家庭に送っている。SWMは、ウクライナ戦争勃発後の2022年10月1日から、暖房料金を約60％引き上げた。2007年にこのアパートに住み始めてから、最大の値上げである。

ガスや電気料金を引き上げたのは、SWMだけではない。ドイツの価格比較ウェブサイト「チェック24」によると、エネルギー企業417社が2023年1月1日から電気料金を引き上げると発表した。２０２２年9月30日の料金に比べた平均値上げ幅は約62・４％で、約６００万世帯が影響を受けた。

ガス小売事業者４５７社も平均約56％料金を引き上げると発表し、約３６０万世帯が影響を受けた。

## 30万世帯が料金滞納で電気を止められている

エネルギー価格の高騰は、高所得層・中間層にとっては「自由に使えるお金が少し減ったな」と感じられる程度だが、貧しい人々にとってはきわめて大きな負担となる。

ドイツ連邦統計庁によると、２０２２年6月の時点で、就労可能だが仕事が見つからない長期失業者の数は約３７０万人、病気などで就労できず、生活保護を受けていた低所得者の数は約１１６万人にのぼった。このうち長期失業者が受け取る援助金は、２０２３年1月1日の時点で1ヶ月あたり５０２ユーロ（7万５３００円）である。彼らは、この中からガスや電気料金を払わなくてはならない。

またドイツの年金生活者のうち、27・８％にあたる約４９０万人が、毎月１０００ユーロ（15万円）未満の年金で暮らしている。彼らにとって、電気・ガス料金が2倍に増えるということは、大きな打撃である。

ドイツ賃貸住宅居住者連合会のルーカス・ズィーベンコッテン会長は、２０２２年8月にドイツの日刊紙とのインタビューの中で、「このままでは、数百万人の市民が、暖房料金を払えなくなる。特に所得が低い市民にとっては、支払い能力を超えている」と語った。

ドイツの電力会社やガス会社の料金に関する規定は、厳しい。市民が年間の電気・ガス料金の少なくとも6分の1を滞納し、しかも滞納額が１００ユーロ（1万５０００円）以上になる場合には、エネルギー企業は電気やガスの供給を止めることを許されている。

ドイツ連邦系統規制庁によると、２０２１年には４９４万世帯が電力会社から「料金を払わないと電気を止める」という警告を受け、31万４８７４世帯が実際に一時的に電気を止められた。電気を止められた家庭の数は、前年（30万４９３９世帯）に比べて3・3％増えている。ノルトライン・ヴェストファーレン州に住む40歳の長期失業者は、２０１７年に電気料金を払えなくなり、一時的に電気を止められた。「電気を止められると、水道も使えない。手を洗ったり、シャワーを浴びたりすることができないし、料理もできない。特に、電気のない暮らしをさせられる子どもたちが不憫だ。私は、精神的に追い詰められてしまった」と語っている。

電力会社やガス会社がエネルギー料金の引き上げを通告し始めた2022年夏には、多くの市民が「料金を払えなくなって、ガスや電気を止められるのではないか」という不安に慄（おのの）いた。

## ドイツ独特の精算方式の怖さ

ドイツでエネルギー価格の高騰が市民にショックを与えた原因の一つには、ドイツ独特のガス・電気料金の精算方法もある。ドイツのエネルギー事情を理解する上で欠かせないものなので、しばらくお付き合い願いたい。

日本の消費者は、電気・ガスを毎月実際に使った量に従って、料金を払う。ところがドイツでは、日本とは異なり、「推定料金の事前支払方式」が採られている。つまり電力会社やガス会社は、前年の消費量に、新しい電気・ガスの1kWhあたりの価格をかけて、料金を推定する。電力会社やガス会社は、年間推定料金を12ヶ月で割った額を、事前支払額として、毎月銀行口座から引き落とす。

たとえばミュンヘンに住むAさんが2020年に2500kWhの電力を使ったとしよう。電力会社は、2020年の12月までに、2021年からの新しいkWhあたり電力価格（0・5ユーロ）を前年の消費量にかけて、2021年の電気料金を推定する。この料金（1250ユーロ）を12ヶ月で割った金額、つまり約104ユーロが毎月銀行口座から引き落とされる。この金額を、事前支払額と呼ぶ。

だがAさんの2021年の実際の電力消費量は、前の年よりも増えて3000kWhだったとしよう。この場合、Aさんの2021年の実際の電気料金は、1500ユーロになる。つまり事前支払額の合計（1250ユーロ）は、実際の電気料金（1500ユーロ）よりも250ユーロ少なかったことになる。このため、2021年末の精算時に、電力会社はAさんの銀行口座から不足額250ユーロを引き落とす。逆に、Aさんの2021年の電力消費量が前年よりも少なかった場合には、Aさんは料金を多く払い過ぎたことになるので、電力会社が取り過ぎた額をAさんの銀行口座に振り込む。

つまり、ドイツの精算方式の怖い点は、使用量がほとんど変わらなくても、kWhあたり電気料金が大幅に上がると、消費者が1年後の精算時に多額の追徴額を、年末の精算時にまとめて請求されることだ。

2022年秋のドイツでは、電力消費量が前年とほぼ同じでも、ウクライナ戦争の影響で1kWhあたりの電気料金が高騰したので、市民に対して請求される年間電気料金は、過去になかったほど急激な上昇率を見せた。

たとえばミュンヘンでSWMから電気を買っていた人は、1年後に判明する年間電気料金が、毎月の事前支払額に基づく推定電気料金に比べて2倍に増える危険があった。先のAさんのケースで言えば、電力消費量が同じでも、1年後になって1000ユーロ（約15万円）を超える電気料金を「追徴」されるわけだ。

これは、低所得層にとっては痛い。毎月国から受け取る年金額が1000ユーロに満たないお年寄りだったら、電気料金の追徴によって、1ヶ月の可処分所得が吹き飛んでしまう。もしも追徴額を100ユーロ以上滞納すると電気を止められて、朝起きてもコーヒー・マシーンを使えず、夜になっても電灯をつけられないという惨めな状態に陥る。

つまり2022年夏には、数百万人のドイツ市民が「エネルギーによる貧困状態」の瀬戸際に追い詰められていた。彼らが、ガス・電気料金の高騰に強い不安を抱いたのは、そのためである。

一部の地方自治体は、「冬にガス料金を払えなくなって、自宅の暖房を止められる市民が増えるかもしれない」と考えて、避難所の設置も検討した。2022年7月6日に、バーデン・ヴュルテンベルク州のルードヴィヒスブルク郡は、冬期に体育館、公民館や消防署に「寒さからの避難所を設置する」と発表した。郡当局はこれらの施設に暖房設備と簡易ベッドを置いて、約5000人の市民が眠れるようにする。これは、その地域に住む低所得層の約5%にあたる。エネルギー危機のために、地方自治体が寒さから市民を守る避難所の設置を検討したのは、初めてのこと。そんな事態にまで追い詰められたのだ。

## ▼極寒のドイツで真冬にお湯のシャワーを使えない?

ドイツの多くの町には、消費者保護団体が運営する消費者センターという組織があり、料金の支払いなどに窮した市民の相談や、詐欺的商法や欠陥製品に関する苦情などを受け付けている。ロシアのウクライナ侵攻以降、各地の消費者センターでは、ガス・電気料金に関する市民の問い合わせが例年に比べて急増した。

ドイツのあるデジタル・マガジンは、2022年12月16日に、ベルリンの消費者センターでエネルギー問題を担当するハシベ・デュンダー相談員とのインタビューを掲載した。

デュンダーさんは、「ガス代の毎月の事前支払額を突然100ユーロ（1万5000円）から600ユーロ（9万円）に引き上げられた人もいた」と語っている。毎月のガス料金が突然6倍に増えるというのは、異常である。

人々はこのような請求書を受け取ってもどうしてよいかわからず、途方に暮れて消費者センターに相談に来た。

ハンブルクに住む夫68歳、妻61歳の夫婦は、エネルギー代を節約するために、シャワーは3日に1回しか浴びない。しかもお湯は出さず、水を使う。2人とも年金額が少ないので、夫はアパートの管理人、妻は家政婦としてアルバイトをしている。悠々自適の暮らしを楽しもうとしていた年配の人々が、エネルギー危機のためにケチケチ生活を強いられている。ある年金生活者は、「これだけガスや電気の料金が高くなると、音楽や演劇の鑑賞、夏のバカンスなどに回すお金もなくなるかもしれない」と語っている。

## エアコンなしで日本の真夏を過ごせるか

ヘッセン州に住む32歳の男性も、「毎月のガス料金の事前支払額は130%増えたが、最終的な暖房費は、これまでの3倍になるのではないかと予想している。お湯をためた風呂には絶対に入らない。シャワーも3分以内で終える。冬には、浴室以外の部屋では暖房を使わない」と語る。国土のほとんどが日本の北海道より北に位置するため、ドイツ人は、我々日本人よりも寒さに慣れている。それでも冬に暖房をつけないというのは、かなり身体にこたえる。

２０２２年のドイツの一部の地域では、12月の第2週に、屋外の気温が一時マイナス10度まで下がった。だが多くの年金生活者は、ガス代を節約するために室温を19度以下に設定していた。夜になっても暖房をつけないで、雨戸を閉め、毛布をかぶってテレビを見ている人もいる。私も経験したことがあるが、部屋の温度が20度を割ると、やはり足先が冷たく感じる。年をとると、若い時よりも寒さに敏感になる。２０２２年から２０２３年にかけての冬には、多くのお年寄りが暖房費を節約するために、自宅で寒さに震えていたことは想像に難くない。

この事態は、冬の寒さがドイツほど厳しくない地域が多い日本では、夏の猛暑時をイメージするとわかりやすいかもしれない。35度を超える真夏の室内で、電気代を節約するためにエアコンを入れずにしのごうとするようなものだ。

実際日本では、所得が少ない年金生活者やお年寄りが、エアコンを入れずに暑さを我慢したために熱中症で救急搬送されるニュースをよく聞く。電気・ガスなどのエネルギー料金の高騰は、そんな事態がさらに増えていくことにつながるのだ。

## エネルギー調達コストの高騰が中小企業を直撃

エネルギー料金の急激な引き上げを通告されたのは、当然のことながら、市民だけではない。2022年夏から秋にかけて、多くの企業経営者たちが想定外の請求書を突き付けられた。バイエルン州のある中小企業は、地元の電力会社から、「料金を10倍以上に引き上げる」と通告された。

市民の電気料金の増加率は約2倍だったのに対し、なぜ企業向け電気の価格は10倍になるのか。企業向けの電力は、しばしばスポット市場と呼ばれる短期の取引を行う卸売市場で調達される。これに対し、家庭向けの電力は、1年以上前などに長期契約で仕入れられるケースが多い。スポット市場では、長期契約を扱う卸売市場よりも価格の変動幅が大きくなることがあるのだ。

（図表1-3）エネルギー危機の影響で企業倒産件数が13年ぶりに増加

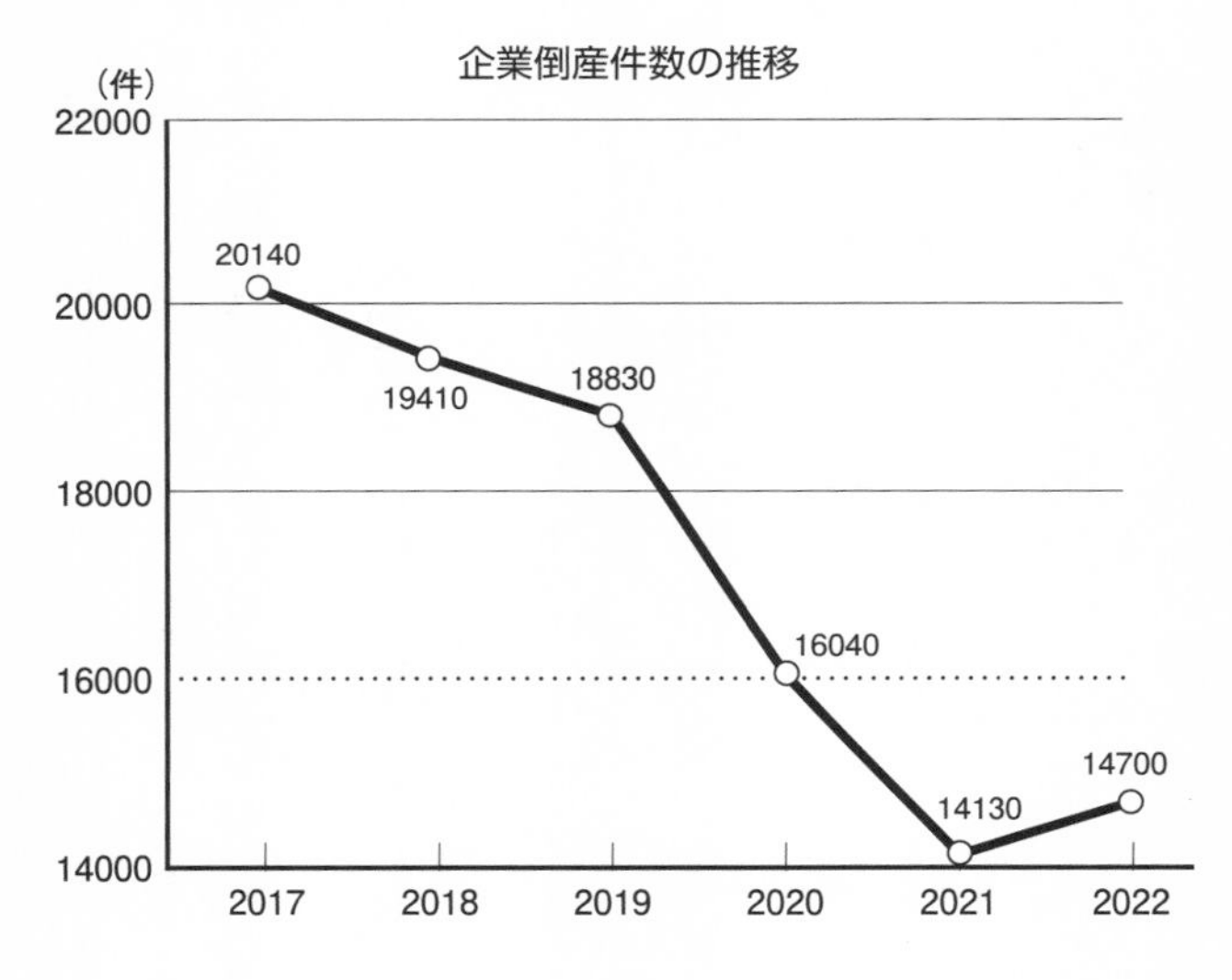


資料：クレディート・レフォルム

一部のメーカーは、エネルギー価格高騰の前に、白旗を掲げた。テューリンゲン州の陶器メーカー、エッシェンバッハ社は、2022年9月に約100人の従業員を解雇し、同年末に生産を中止した。その理由は、年間ガス費用が86万ユーロ（1億2900万円）から、550万ユーロ（8億2500万円）に引き上げられたからだ。経営者は、ガス費用の6・4倍の増加を、顧客にそのまま転嫁することは不可能だと判断した。

メルセデス・ベンツやBMW、

フォルクスワーゲンなどの老舗メーカーを擁する自動車業界は、物づくり大国ドイツを支える屋台骨だ。２０２１年には約79万人が自動車業界で直接雇用されており、約４１１０億ユーロ（61兆６５００億円）の売上高を生んだ。

自動車の組み立て工場や、部品の製造工場は、大量の電力を使う。ドイツ自動車工業会（ＶＤＡ）は、２０２２年９月に「ウクライナ戦争勃発後の電力価格の高騰は、今日の自動車業界が直面する最大の試練だ」と悲鳴を上げた。

自動車部品メーカーは、大手自動車メーカーを支える縁の下の力持ちだ。エネルギー価格の高騰は、これらの企業を直撃した。たとえば２０２２年11月15日には、ゾーリンゲンの自動車部品メーカー、ビア社が、バーデン・ヴュルテンベルク州にあった子会社を閉鎖した。約１５０人の社員が仕事を失った。

この会社は、鍍金（メッキ）を施した自動車部品を主に製造してきた。特に、メルセデス・ベンツのボンネットの上に取り付けられる星のマークを製造することで知られていた。ビア社が子会社の閉鎖を決めた理由の一つも、エネルギー調達コストの高騰だった。

ドイツの信用調査機関クレディートレフォルム社は２０２２年12月13日、「ドイツの企業倒産件数は２００９年のリーマンショック以来初めて、増加傾向を示した」と警告した。

同社によると、２００９年以来、好景気のために企業倒産件数は年々減っていたが、２０２２年には前年に比べて４％増えた。これは、「エネルギー調達コストの高騰など、ロシアのウクライナ侵攻の影響だ」と分析している（図表１－３参照）。

## ▼このまま高騰が続けば産業の空洞化、失業者の急増も

実際、この年に自動車業界で実施されたアンケートは、中小企業の苦境を浮き彫りにした。ＶＤＡは、２０２２年9月13日、自動車部品メーカーなど１０３社に対して行ったアンケート結果を公表した。その結果、回答企業の95％が「電気料金が極端に上昇した」または「大幅に上昇した」と答えた。また回答企業の41％が、「電気料金が2倍に増えた」と答えた。さらに、回答企業の30％が「電気料金の高騰のために、生産縮小を検討している」、10％が「生産を縮小した」と答えた。

また回答企業の10％が、「キャッシュフローが悪化している」と答え、32％が「今後数ヶ月以内にキャッシュフローが悪化すると予想している」と答えた。また回答企業の10％が

「電力購入契約を更新できなかった」、10％が「下請け企業が電力購入契約を更新できなかった」と答えた。

さらに回答企業の53％が「ドイツでの設備投資を延期または中止した」と答え、28％が「外国での設備投資を増やす」と答えた。ドイツ国内での設備投資を増やすと答えた企業の比率は、2％に留まった。

アンケートに応じた企業のうち88％が、「エネルギー費用の高騰などのために、ドイツは魅力的な産業立地ではなくなった」と答えている。

この数字は、ドイツ経済にとって深刻な警鐘（けいしょう）である。今後ドイツでは、電力コストの高騰を理由に、生産設備を外国へ移す企業が増えることが予想されるからだ。エネルギー費用があまりにも高いためにドイツの工場の数が減り、米国やアジアで新しい工場が増えるとすると、ドイツでは失業者数が増えるので大きな問題である。エネルギー危機は、雇用に深刻な影響を与えるのだ。

製造業の空洞化の最初の兆候は、すでに表れ始めている。自動車用洗剤などを製造しているバイエルン州のある化学メーカーは、ウクライナ戦争が起きるまでは毎年のガス・電力費用が20万ユーロ（3000万円）だった。しかしウクライナ戦争の勃発後、同社の経営者は将来エネルギー費用が3倍に増えると予想し、製品価格を2回引き上げた。彼は「エネルギー費用の高騰のために、ドイツの価格面での優位性は大幅に減った。今後はシンガポールと米国の拠点を拡充する」と語っている。今ドイツでは多くの経営者たちが、「エネルギー価格がこれほど高くなった今、この国で製造を続けるべきだろうか?」という問いに向き合っていることは間違いない。

特に中小企業にとっては、エネルギー費用の高騰は企業の存続を揺るがす深刻な問題だ。自動車メーカーなどグローバルに展開している大企業は、ドイツ国内への投資を減らして、米国やアジアなどエネルギー費用が割安な国に工場などを建設することができる。だが大企業ほどグローバル化が進んでおらず、予算面でも制約が大きい中小企業は、短期間にエネルギー費用が割安な国への投資を増やすことができない。

ロシアという一国に天然ガス輸入量の多くを依存し、それが相手国の一方的な事情で途絶。それによるエネルギー調達コストの高騰と企業収益の悪化、倒産や失業者の急増、さらには生産拠点の国外移転による産業の空洞化……はたしてこれは、日本にとって海の向こうの話と片づけられる問題だろうか。

## 欧州のガス価格と電力価格は連動している

では、ドイツでロシアから天然ガスの輸入がストップしたことによって、ガス料金だけではなく電気料金も高騰した理由は何だろうか。

ドイツでも天然ガスを火力発電に使ってはいるが、割合としては全発電量の14％程度で、日本の約30％に比べると低い。それよりむしろ、欧州では、ガスの卸売価格と電力の卸売価格がリンクしていることが大きい。つまり卸売市場でガスの値段が上がると、電力の値段も連動して上昇する。それは、欧州の電力卸売市場にメリットオーダーという原則があるからだ。

電力を購入する企業は、まず発電コストが低く、値段が安い太陽光、水力、風力などによって発電された電力を買う。さらに原子力、バイオガス、石炭、褐炭(かったん)によって発電された電力を買う。

しかしそれだけでは、小売事業者が必要とする電力量に達しないので、やむを得ず価格が高いガス火力発電所からの電力も購入する。すると、メリットオーダーの原則に基づいて、最も高いガス火力発電所からの電力価格が、卸売価格を決めてしまう。つまり2022年8月の時点の欧州の卸売市場では、ガスの値段が上がれば上がるほど電力の値段も上がるという仕組みになっていたのだ。したがって、ガス価格の高騰が電力価格の高騰も引き起こした。

この原則があるために、2022年後半に欧州の消費者は、ガスと電気の料金が同時に高騰するという、ダブルパンチに苦しんだ。

したがってフランスなど一部のEU加盟国からは、「エネルギー市場を改革するべきだ。将来ガスの卸売価格が上がっても、電力の卸売価格が上昇しないようにするために、メリットオーダーの原則を変更して、ガスと電気の価格を切り離すべきだ」という意見が出た。だがエネルギー市場の制度改革は、一朝一夕にはできない。当分の間欧州の消費者は、ガス・電気料金のダブル高騰に苦しむことになる。

日本はメリットオーダーの制度を採っていないが、欧州とは違う理由で、ガス・電気料金のダブル高騰が起きる可能性がある。

先述のように日本では、発電に使われるエネルギー源の中に天然ガスなど化石燃料の占める比率が高い。このため、ウクライナ戦争や中東戦争のような事態が起きて、世界的に天然ガス、石油、石炭の価格が上昇することにより、発電所の燃料の価格が高騰し、電気料金も引き上げられることは十分にありうる。

## ▼エネルギー価格高騰でインフレ率が過去最高に

ウクライナ戦争によるエネルギー価格の高騰は、ドイツに第二次世界大戦後最悪のインフレをもたらしたことは先にも述べた。ドイツ連邦統計庁によると、2022年のインフレ率は、6・9％だった。1949年の西ドイツ建国以来、最も高いインフレ率である（図表1－4参照）。2022年10月には、インフレ率が8・8％にまで達した。インフレ率を引き上げた主因は、ガス・電気料金だった。ドイツのインフレ率は、我が国のインフレ率の2倍を超えていた。

ウクライナ戦争の余波で、ガソリンなど自動車の燃料価格も高騰した。EUがロシアのウクライナ侵攻直後、「2022年末までにロシアからの原油の輸入を原則として禁止する」と発表したからだ。

ドイツは、2021年に輸入した原油の約33％をロシアから輸入していた。ロシアからの原油の供給が減るという情報が入れば、需給の逼迫が予想されるので、ガソリンやディーゼル用の軽油の価格は上昇する。ドイツ自動車連盟（ＡＤＡＣ）の統計によると、２０２２年３月にガソリン（スーパーE10）のリッター価格は２・07ユーロ（３１１円）、ディーゼル用の軽油は２・14ユーロ（３２１円）に達した。ガソリンや軽油の価格が２ユーロを超えたのは、初めてだ。

ミュンヘンやシュトゥットガルトなどの大都市では家賃が高いので、30キロ以上離れた町に住み、毎日自宅と職場の間を車で行き来する市民が多い。彼らにとって、燃料価格の高騰は大きな痛手だった。

## パン、牛乳、バターの値段も軒並み高騰

エネルギー危機が一因となって、食料品の値段も高騰した。２０２２年10月のある日、ミュンヘンのスーパーマーケットの牛乳売り場に行って、驚いた。１リットル入りの牛乳の値段が１・68ユーロ（２５２円）になっていた。周りを見回すと、全ての牛乳の値段が１ユーロ（１５０円）を超えている。ウクライナ戦争が始まる前には、１ユーロ出せばおつ

（図表1-4）インフレ率が戦後最高に

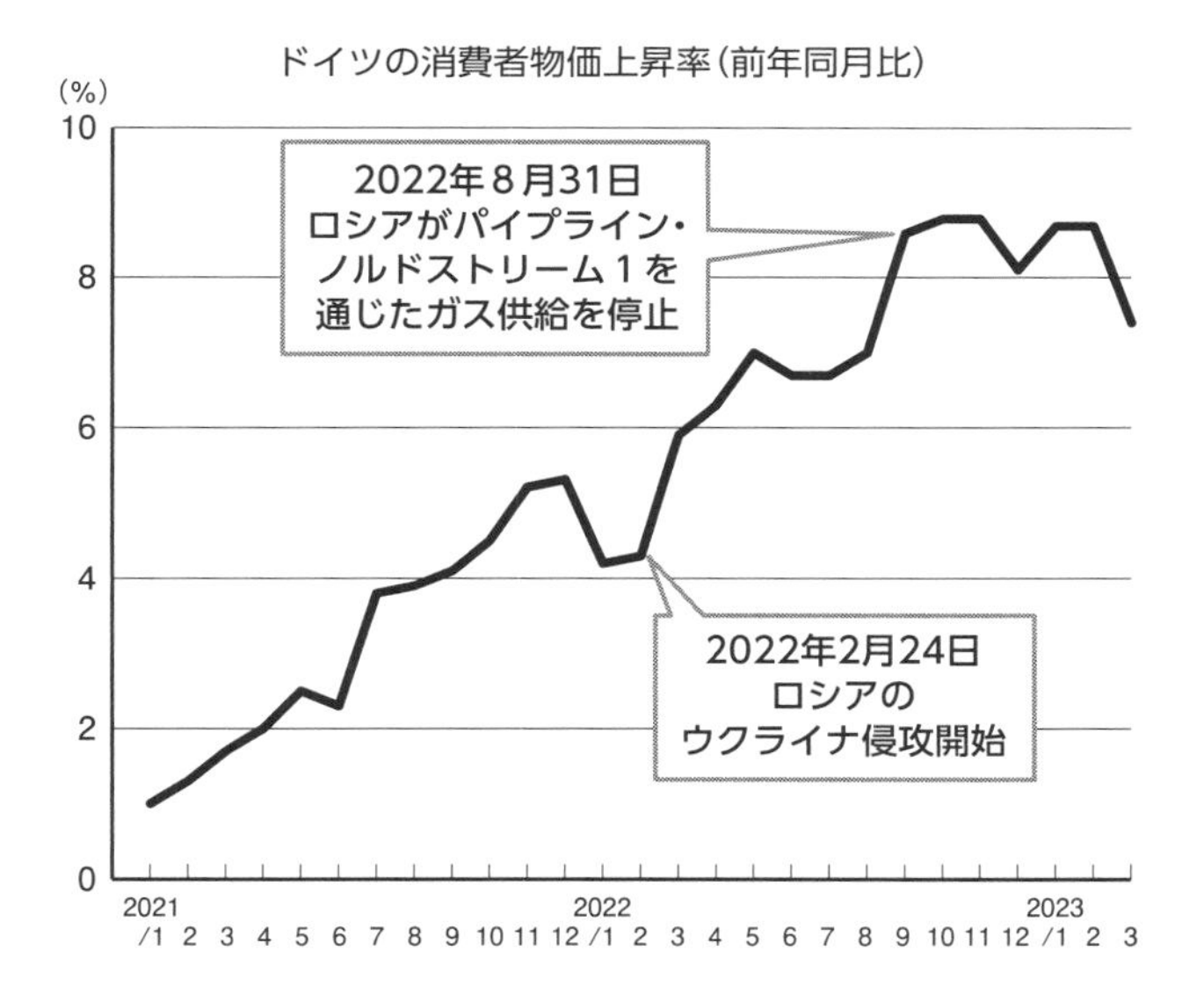


出所：ドイツ連邦統計庁

り銭が返ってくる牛乳があったが、今は一つもない。

牛乳値上げの主な理由は、生産者価格の上昇である。ドイツ食糧農業省によると、２０２２年７月の牛乳１００キログラムの生産者価格は、１年前に比べて１・５倍にも上昇して55・04ユーロになった。電気料金、農家が使うトラクターのディーゼルエンジン用の軽油や、肥料の価格などが上昇したためである。さらに、牛乳の加工に大量のガスが必要とされることも、牛乳の値段が上がったことの理由の一つだ。

ドイツの日刊紙ターゲスシュピーゲルの「インフレ・モニター」によると、2022年8月のバターの価格は前年同期比で49%、食肉は19%、パンは17%上昇した。同紙によると、インフレによって貨幣の購買力が激減し、2015年に2ユーロ出せば250グラムのバターを買えたが、2022年には半分以下の112グラムしか買えなくなった。

私の行きつけのパン屋は、パンの価格を上げなかったが、パンをどんどん小さくしていった。値上げすると、客が来なくなると思ったのだろう。袋から出して食べようとすると、パンが小さくなったことが歴然として、悲しくなった。ほとんどのパン屋はガスの竈(かまど)で焼くので、ガス料金の高騰が響いた。

インフレは通貨の価値と市民の購買力を減らし、消費意欲を減退させるので、不況につながる。企業にとっても原材料費、輸送費など生産にかかるコストが上昇するので、収益が減る。エネルギー費用の高騰により、生産高を減らしたり、操業停止に追い込まれたりする企業も増えた。

このためドイツの景気は、一時停滞の兆候を見せた。国際通貨基金(IMF)は2022年10月に公表した経済見通しの中で、2022年のドイツの国内総生産(GDP)成長率を、わずか1・5%と予想した。G7(先進7ヶ国)の中で最も低い数字だった。20

## (図表1-5) インフレの影響でドイツの成長率はG7で最低に

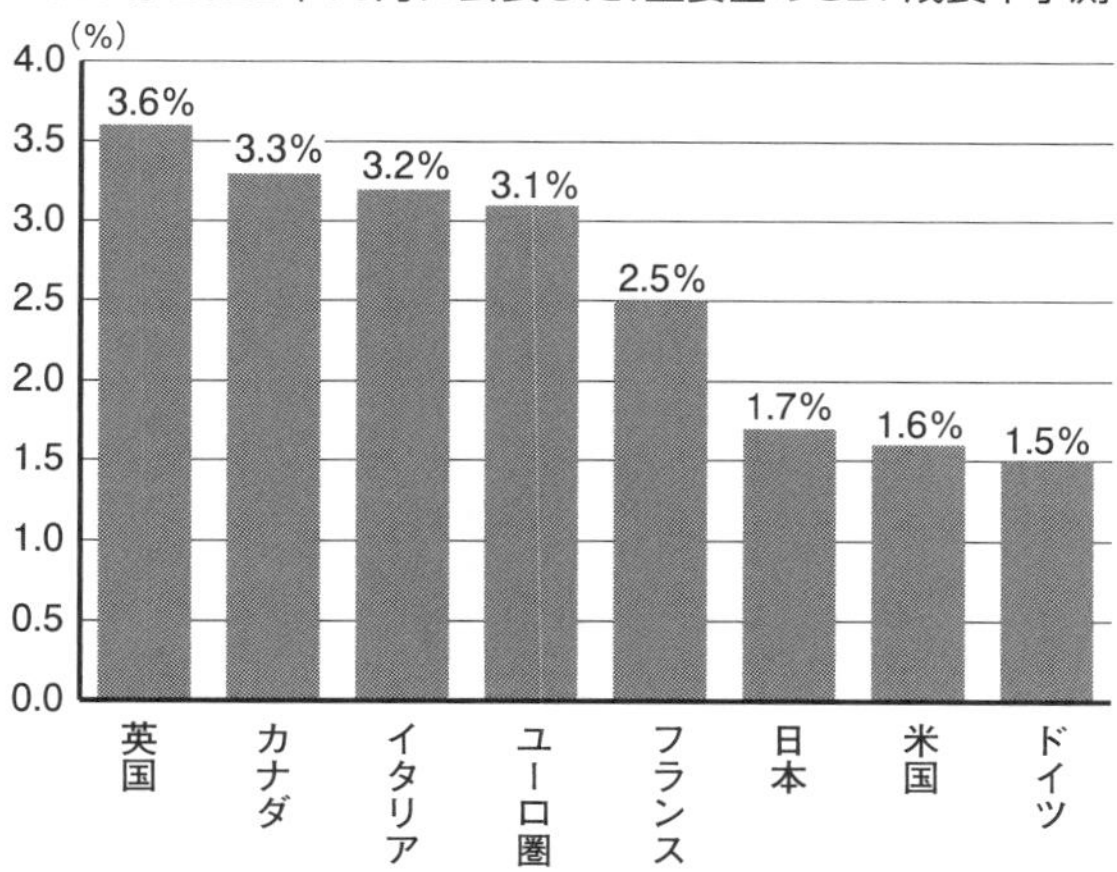


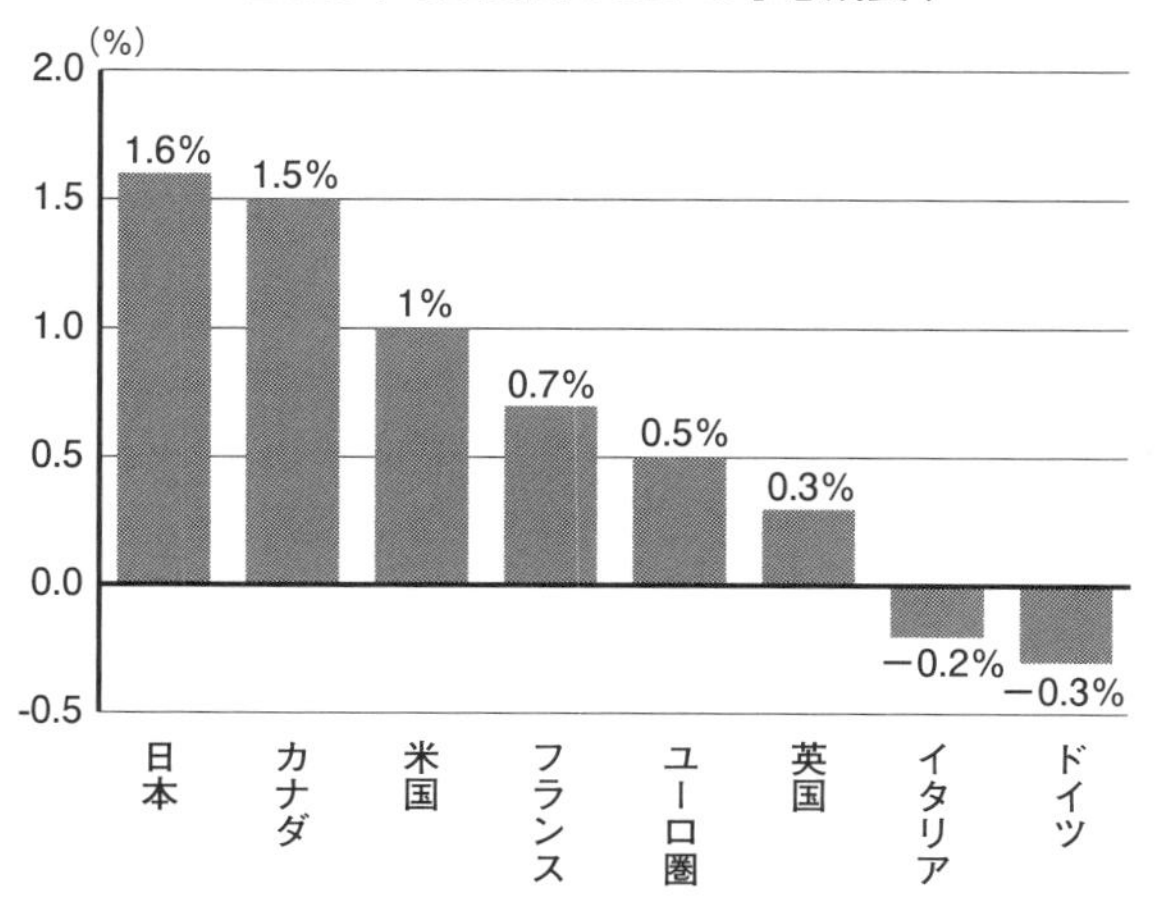


出所：国際通貨基金（IMF）世界経済見通し（2022年10月発表）

23年には0・3%のマイナス成長を予想した。当時ドイツの成長率の見通しは、ユーロ圏の平均成長率よりも低かった（図表1－5参照）。つまりエネルギー危機が主因となって、欧州経済を牽引する機関車役であるべきドイツが、逆にユーロ圏の経済成長率を引き下げた（実際には、2022年秋に懸念されたドイツのガス不足が起きなかったことから、IMFは2023年1月に発表した予測では、ドイツの2022年の成長率を1・9%、2023年を0・1%に上方修正した）。

ドイツではインフレに対する不満と不安が、政局にも影を落とした。エネルギー価格の高騰と対策の遅れへの不満が、ショルツ政権への支持率を引き下げたのだ。インフラテスト・ティマップの世論調査によると、極右政党「ドイツのための選択肢（AfD）」の支持率は、2021年11月の調査では10%だったが、1年後の2022年6月の調査では8ポイント増えて18%になった。逆にオラフ・ショルツ首相が率いる社会民主党（SPD）の支持率は同時期に27%から18%に減った。連立政権を組む緑の党の支持率は同時期に16%から15%に減った。

世論調査機関INSAが2022年9月26日に公表した調査結果によると、旧東独ではAfDへの支持率は27%で、最も人気が高い政党だった。2022年10月9日に旧西ドイツのニーダーザクセン州で行われた州議会選挙では、AfDの得票率が前回（2017年）に比べてほぼ2倍の10・9％に達した。これらの数字には、市民の不安や不満が如実に反映されている。

## エネルギー貧民を救え！ドイツ政府の激変緩和措置

ガス・電気料金が2倍になるような状態を放置していたら、多くの市民が貧困状態に追い込まれ、企業の倒産件数が増えてしまう。当然のことながら、そんな状態をドイツ政府も手をこまねいて眺めているだけではなかった。

ドイツ政府のショルツ首相は2022年9月29日、「市民と企業の負担を緩和するために、約2000億ユーロ（30兆円）を投じて、電気やガスの価格に、部分的に上限を設定する」と発表した。これは連邦政府の予算のじつに約36％に相当する金額だ（2021年の連邦予算の支出は、5571億ユーロだった）。日本政府が2023年1月から実施した「激変緩和措置」に相当する。

首相はこの巨額の財政出動を、「ダブル巨砲（ドッペル・ヴムス）」と呼んだ。元々ヴムスとは、砲弾などが爆発した時に出る「ドカーン」という炸裂音のことだ。最初の巨砲は、2020年に発表したコロナ・パンデミック対策としての財政出動だった。2年後に再び発射されたダブル巨砲とは、市民と企業をエネルギー危機から守るための二番目の巨砲という意味だ。

この法案は2022年11月15日に閣議決定され、12月16日に連邦議会・連邦参議院で可決された。

法案は、2つの段階に分かれている。まず政府は、市民と中小企業のガスと地域暖房料金のうち、2022年12月の事前支払額を、全額負担した。これによって市民と中小企業全体で、約90億ユーロ（1兆3500億円）の出費を免除された。

第二段階は、ガス、電気、地域暖房の価格への上限設定だ。

まず政府は2023年1月1日から、家庭と中小企業の2021年の電力消費量の80%分については、1kWhあたり40セント（60円）の上限を設定した。

## ▼ガス料金の上限設定で負担を大幅軽減

また政府は、家庭と中小企業のガス消費量（2021年の消費量）の80％についても、1kWhあたり12セント（18円）の上限を設けた。これは2022年第4四半期の平均ガス料金（20・04セント＝30・06円）に比べて相当低い額である。政府が巨額の補助金を投じることで、ガス料金がほぼ40％も抑えられたかたちだ。ただし市民などのガス消費量が、2021年のガス消費量の80％を超えた場合、市民は通常のガス価格を負担しなくてはならない。消費者の節約を促すことが目的だ。

さらに政府は家庭と中小企業の地域暖房の消費量の80％についても、1kWhあたり9・5セント（14・3円）の上限を設けた。

ショルツ政権は家庭と中小企業のガス・地域暖房の料金に上限を設定するために、約330億ユーロ（4兆9500億円）の公金を投じた。

誤解を避けるために強調したいのだが、この措置は、政府が電力会社やガス会社に対して、料金引き上げを禁止したわけではない。電力会社やガス会社は、卸売市場での調達価格の高騰など正当な理由があれば、料金を2倍、3倍に引き上げることが許される。政府は、補助金を投じることによって、市民などの料金負担の一部を減らしただけだ。

政府は上限設定を2023年1月1日から始めようとした。だが電力会社・ガス会社が

ITシステムや料金メニューを変更するのに時間がかかったため、上限設定は同年3月1日にずれ込んだ。ただし、政府は3月1日以降に、家庭と中小企業が1月と2月に払い過ぎた分を還付することにした。

政府は、大企業を中心とした産業界にも手を差し伸べた。産業界は工場などで毎日大量の電気とガスを消費する大口需要家だ。ショルツ政権は、2023年1月1日から、年間電力消費量が3万kWhを超える企業のために、電力消費量の70％について1kWhあたり13セント（19・5円）の上限を設定した。これは、2022年下半期の産業界向け平均電力価格54・9セント（82・4円）の4分の1以下である。

また産業界に対しては、ガス消費量の70％について、1kWhあたり7セント（10・5円）の上限を設定した。産業界が使う地域暖房についても、消費量の70％について、1kWhあたり7・5セント（11・3円）の上限を設定した。電気・ガス・地域暖房へのこれらの上限設定は、2024年4月末まで続く。

## ▼「天然ガス緊急事態」を覚悟したドイツ政府

ドイツ政府はロシアのウクライナ侵攻開始後、2022年春から夏にかけて、天然ガス供給について、きわめて悲観的な見通しを抱いていた。連邦経済気候保護省は、ロシアが天然ガス供給を停止することにより、ドイツで需給が極端に逼迫することを想定した。天然ガスの消費量が多い企業への供給を制限する事態まで想定していた。物づくり大国ドイツは、第二次世界大戦後最も深刻な危機の瀬戸際に追い詰められていたのだ。

ロシアは初めからドイツへの天然ガス供給量を減らしたわけではない。真綿で首を締めるように、じわじわと天然ガスを買う国々に対して、厄介な注文をつけた。暴力団のいやがらせに似ている。

まずプーチン大統領は2022年3月23日に、突然「非友好国の天然ガス代金の支払いをルーブルに限る」と発表した。非友好国とは、ウクライナ侵攻後ロシアに対して経済制裁措置を発動した国である。プーチン大統領の発言は、契約違反だ。西欧のエネルギー企業と、世界最大の天然ガス生産・供給企業であるロシアのガスプロムとの間の天然ガス購入契約によると、購入者は代金をユーロかドルで払うことになっていたからだ。だがロシア政府のドミトリー・ペスコフ報道官は追い打ちをかけるように、3月29日に「ルーブルで支払わない国には、我々は天然ガスを供給しない」と脅した。

ドイツ政府はこの発言を受けて、「ロシアが本当に天然ガスを止める危険がある」と考えた。

ロシアからの供給がストップしたからといって、ドイツ国内の天然ガスがただちになくなるわけではない。ドイツ人たちの懸念を増幅したのが、「天然ガスの蓄えがゼロになる」という可能性だった。ドイツでは約60年前から天然ガスを国内で採掘してきたが、採掘量は年々減っている。天然ガス原油連邦連合会（ＢＶＥＧ）によると、２０２１年のドイツ国内での天然ガス採掘量は52億㎥で、需要量の５％しかカバーできない。ただし、日本とは異なり、ドイツには天然ガス地下貯蔵設備が約50ヶ所ある。中でもニーダーザクセン州のレーデンにある天然ガス地下貯蔵設備は欧州で最大の規模を持つ。

ドイツの地下貯蔵設備には、最大２４６億㎥の天然ガスを蓄えることができる。これは、米国、ウクライナ、ロシアに次いで世界で４番目に多い貯蔵量だ。ドイツのエネルギー業界は、天然ガスを採掘した後の地下の空洞に、外国から輸入した天然ガスを注入して貯蔵している。

ロシアが天然ガス供給を減らし始め、卸売価格が急騰しつつあった２０２２年6月24日に、ドイツのエネルギー供給を監視・監督する連邦系統規制庁は、ドイツの天然ガス地下貯蔵設備の充填率（じゅうてんりつ）が近い将来どう推移するかについて、6種類のシナリオを発表した。

連邦系統規制庁は、「2022年7月11日以降、NS1（ロシアからドイツに天然ガスを運ぶ海底パイプライン）の天然ガス供給量がゼロになり、国内のガス消費量が減らないという最悪のシナリオによると、2023年1月27日から4月17日までガス地下貯蔵設備が空になり、1時間あたり最高9500万kWhのガスが不足する」という悲観的な見方を打ち出した。もしもこのようなガス不足が起きていたら、化学メーカーなど産業界へのガス供給が制限され、多数の企業が操業停止に追い込まれていたはずだ。失業者の数も増えていただろう。このシミュレーションは、2022年夏に政府が極端なガス不足に陥る可能性を想定していたことを示している。

当時この国の論壇は、「物づくり大国ドイツは、1970年代の石油危機に匹敵するようなピンチに陥る」という、悲観的な論調一色で塗りつぶされていた。

たとえばミュンヘンのIfo研究所などドイツの主要経済研究所は、2022年9月20日に発表した経済予測の中で、「2022年のGDP成長率は1・4%、2023年はマイナス0・4%」という数字を打ち出した。この時経済学者たちは、最悪のシナリオとして、「万一天然ガス不足が起き、製造業界のガス調達量が政府によって制限される場合には、２０２３年のＧＤＰ成長率はマイナス７・９％に落ち込む」とも予測した。これは、２００９年のリーマンショックの時のマイナス５・７％や２０２０年のコロナ・パンデミックの際のマイナス４・６％を大幅に上回る下落だ。

## ▼暖冬が天然ガス不足からドイツを救った

しかし、２０２２〜２０２３年の冬に政府、産業界などが懸念していた天然ガス不足は、回避された。その理由の一つは、記録的な暖冬だったことだ。

２０２２年12月の最後の週に、突然ドイツの気温が上がり始めた。ドイツ気象台によると、２０２２年の第50週（２０２２年12月12日〜12月18日）の気温の中間値は、マイナス５・２度だった。しかし第51週（２０２２年12月19日〜12月25日）には第50週よりも約11度高い６・01度、第52週（２０２２年12月26日〜12月31日）には８・03度に上昇した。ドイツの真冬としては、想像を絶する高い気温だ。大晦日にはドイツの一部の地域で気温が20度に達し、春のような暖かさになった。大晦日の気温としては、19世紀にドイツで気象観測が始まって以来最も高い温度だった。

筆者が住むミュンヘンは海抜500メートル。アルプス山脈に近く、ドイツで最も寒い地域の一つだ。だが12月の最後の週には、それまで積もった雪が完全に溶けた。春が来たと勘違いした野鳥がさえずり始め、タンポポなど春の花が咲き始めた。Tシャツにショートパンツでジョギングをしている市民さえもいた。日向（ひなた）では汗ばむほどで、通常は4月から5月の気候である。夜間や早朝に窓を開けると、通常は冷たい空気が入ってくるが、生暖かい空気が入ってきた。天気が崩れても、雪は降らずに雨ばかりだった。この国に33年間住んでいるが、こんなに暖かい大晦日を経験したことは一度もなかった。

このため、ミュンヘンでは2022年末に暖房を使う必要がなかった。アルプス山脈のスキー場でも雪がほとんど降らず、草だらけの斜面に人工雪で細い「道」を作り、かろうじてスキーができるようにした場所もあった。ミュンヘン南部のブラウネックのスキー場は、雪不足のために2023年1月6日に営業を停止した。標高1100メートルの山の中で、1月に雪がほとんど積もらないというのは、異例である。

このような天気は、2022年12月下旬以降、約1ヶ月続いた。つまり1年間で最も寒さが厳しい12月から1月に記録的な暖冬となり、市民のガス消費量が減ったことが、充填率の回復につながった。2023年1月以降も、本格的な冬将軍はやって来なかった。このため、ガスの充填率は、冬期を通じて「危険水域」である40%台を割ることはなかった。気候変動を引き起こす地球温暖化は、人類にとって一刻も早く歯止めをかけるべき問題だ。しかし2022年から2023年にかけての冬には、ロシアから天然ガスの供給を止められたドイツにとって、それがたまたまガスの需給逼迫という危機回避につながった。

今回は偶然良い方向に転んだわけだが、次回も同じような幸運に巡り合うとは限らない。我々は次の冬の気温がどのようになるかをコントロールできない。エネルギーなどの重要物資を一国・一地域に依存していると、次に外国からの供給途絶という事態が起こった時に、今度こそ窮地に追い込まれる可能性は十分にある。

## ▼産業界・市民によるガス節約も貢献

ドイツがガス危機を回避できたもう一つの理由は、産業界と市民がガスの節約に努めたからだ。連邦系統規制庁によると、2022年のドイツのガス消費量は、2018~2021年の平均消費量に比べて、約14%少なかった。産業界の大口需要家は、2022年の消費量を2018~2021年の平均消費量に比べて約15%減らした。企業のガス消費量の減少は、能動的な節約努力だけではなく、ガス価格の高騰の影響で生産を縮小したり停止したりする企業が多かったことも影響している。家庭と中小企業は、2022年の消費量を2018〜2021年に比べて約12%減らした。

さらに、ノルウェー、オランダ、ベルギーなどがドイツに着実に天然ガスを送り続けたことも、充填率の大幅な低下を防いだ。ドイツはガス消費量を減らす一方、ノルウェーなどの友好国からの天然ガスの輸入によって、ロシアからの天然ガスを代替することに成功した。

連邦系統規制庁のクラウス・ミュラー長官は、2022年の秋以来、「2023年2月1日の時点でガス地下貯蔵設備の充填率が40%を割ると、ガス不足が起きる」と警告していた。しかしミュラー長官は2023年3月18日、ドイツの公共放送ARDとのインタビューの中で、「現在ガス地下貯蔵設備の充填率は、約64%に達している。この状態ならば、万一寒波が到来しても、この冬を無事に乗り切れる」と語った。

しかしミュラー長官は同時に、「我々はガスを節約する努力をやめてはならない。次の冬、つまり2023〜2024年の冬に向けて充填率を高める必要があるからだ」と指摘した。それは、ドイツはロシアからの天然ガスに頼ることなく、再びガス地下貯蔵設備の充填率を２０２３年11月１日までに95％まで引き上げなくてはならないからだ。

ロシアは２０２２年１月１日から同年８月31日までに、ドイツに３１３８億１０３７万kWhの天然ガスを供給した。国際エネルギー機関（ＩＥＡ）によると、２０２１年にドイツが輸入した天然ガスのうち、ロシアからの輸入は59・５％を占めていた。しかし、２０２２年１年間のドイツのロシアに対する天然ガス依存度は、８月31日以降の供給停止のために、21・８％に下がった。

気候変動の特徴の一つは、気温が激しく上下することだ。たとえば２０２２年に欧州が暖冬に見舞われていた時、北米大陸は大寒波に襲われて、一時マイナス30度まで気温が下がった地域もあった。このような状況が、２０２３～２０２４年の冬にドイツで起こる可能性は排除できない。

ノルウェーやオランダなどは、他国との天然ガス供給契約があるため、今以上にドイツへの供給量を増やすことはできない。そのためドイツでは、他国からタンカーで運んできた液化天然ガス（ＬＮＧ）の陸揚げを２０２２年12月から始めた。これまではロシアからパイプラインを通して割安の天然ガスを輸入できていたため、ＬＮＧの陸揚げ設備は必要なかったのだが、ロシアからの供給停止を受けて、急きょ建設を始めたのだ。

だが、LNGの陸揚げターミナル3ヶ所と浮体式の陸揚げ設備（FSRU）6ヶ所が全て稼働するのは、2027年になる。しかも2027年にこれらの9つの設備が全て稼働しても、陸揚げ容量は540億㎥、つまりドイツの1年のガス需要量（940億㎥）の約57・4%しかカバーできない。したがって、ドイツは今後もガス地下貯蔵設備の充填率を増やさなくてはならないのだ。

ともあれ、政府の激変緩和措置によって、SWMなどが2022年秋に市民に通告した「ガス・電気料金の倍増」という最悪の事態は避けられた。

## ロシアへの経済制裁は空振り？ ちゃっかり〝漁夫の利〟を得た中国

EUは経済制裁措置の一環として、ロシアからの化石燃料を将来禁輸することを発表した。それに先んじて、ロシアは天然ガスについて2022年8月、ドイツなどEU諸国への輸出を停止した。それもあってEUの経済制裁措置は、現在のところロシアに大きなダメージを与えていない。

ロシアは、EU加盟国向け天然ガスを減らした分の一部を、中国へのLNG輸出量を大幅に増やすことでカバーした。2023年3月20日にロイターは、2022年に中国がロシアから輸入したLNGの量が、前年比で40%増えて650万トンになったと報じた。中国がロシアから買ったLNGの価格は100万英熱量（Btu＝熱量の単位）あたり20ドルを割っており、アジアのスポット価格（38・8ドル）に比べて大幅に安かった。ロシアは中国から相当厳しく値引きを迫られたようだ。ちなみに中国がロシアから輸入した石炭の量も前年比で20%、原油の量も前年比で8%増えた。

エネルギー価格の高騰と中国の援護射撃により、2022年の対ロ経済制裁措置は、欧米諸国が期待したほどの効果を生まなかった。中国は2022年12月に、厳しいコロナ・ロックダウンの緩和を始めた。このため2023年に入って、同国の経済活動は復活し始めている。

中国の2022年のGDP成長率は3%だった。2023年2月に国際通貨基金は、2023年の中国のGDP成長率が5・2%になると予想した。中国は、ウクライナ戦争がきっかけとなって、経済成長に必要な天然ガスを、ロシアから割安の価格で輸入することができた。ある意味で中国は、「漁夫の利を得た」ということができる。

そのことは一方で、ロシアとの類似点を持つ非民主主義国家（強権国家）の経済力の増強につながる。中国のエネルギー需要の増大は、今後日本の化石燃料の安定的確保に大きな影響を及ぼす可能性がある。

## ▼この先の最大の懸念はパイプラインの破壊工作

ドイツ人たちにとって、将来のエネルギー危機への不安が完全になくなったわけではない。彼らはまだ2022～2023年の冬を無事に越しただけである。連邦系統規制庁のミュラー長官はドイツのメディアとのインタビューで、「将来ガス不足が起こる可能性を完全に排除することはできない。たとえば、ノルウェーからドイツに天然ガスを送る海底パイプライン『ノルパイプ』が破壊工作のために使用できなくなった場合には、需給が逼迫する」と語っている。

2022年9月26日には、何者かがロシアとドイツを結ぶ海底パイプライン、ノルドストリーム（NS1・2）の4本の導管のうち、3本を爆破した。ドイツ連邦検察庁は、「2022年9月に、旧東ドイツのロストクで5人の男女が偽造パスポートを使って船を借り、現場海域に向かった。5人が属していた会社はポーランドにあり、ウクライナ人が経営していた。この船のデッキから爆発物の痕跡が見つかった。このグループがＮＳ１・２の爆破を行った可能性がある」と発表している。５人の国籍などは判明していない。ウクライナ政府は爆破事件への関与を否定している。ロシア政府は「米国の謀略だ」と主張している。

　爆発が起きたのは、ノルウェーからポーランドへ天然ガスを送る新しいパイプライン「バルティック・パイプ（ノルパイプ）」の完成を祝う記念式典の前日だった。

　これは偶然だろうか。うがった見方かもしれないが、「その気になれば、我々は西側に天然ガスを供給するパイプラインをいつでも破壊できる」というロシアの恫喝であるようにも感じられる。

　いずれにしても、ノルウェーから天然ガスを送る海底パイプラインは、ドイツにとって生命線だ。今やドイツに最も多く天然ガスを供給しているのは、ロシアに代わってノルウェーだ。ロシアが天然ガス供給を止めた２０２２年８月31日から12月31日まで、ドイツが輸入した天然ガスのうち、42・８％がノルウェーからの輸入である。本格的な冬将軍が到来した時に、ドイツ・ノルウェー間の動脈が切断された場合、ドイツへの天然ガス供給量が不足したり、天然ガスの卸売価格が再び高騰したりして、ドイツの製造業界はピンチに陥るかもしれない。

ロシアのウクライナ侵攻は、東西冷戦後続いていた、約30年間の平和な時代の終焉を告げた。欧米諸国はロシアと直接交戦はしないものの、２０２２年２月から２０２３年４月までに、ウクライナに８７６億５０００万ユーロ（13兆１４７５億円）もの軍事援助を行ってきた。今後も軍事支援を続ける方針だ。

欧米諸国は２０２２年２月にはタブーとされていた西側製の戦車をウクライナに供与している他、近く米国製のＦ16など戦闘機も送ることを決めた。つまりこの戦争は、ロシアとウクライナの間だけの戦いではなく、自由や民主主義を重視する陣営と、そうした価値を抑圧する陣営との間の戦いになっている。しかも現在ウクライナに限定されている戦争が、バルト三国などに拡大する可能性もゼロではない。つまり欧州は、東西冷戦に似た時代に逆戻りしつつある。

このような時代には、一寸先は闇だ。「ＸＸは起こり得ない」と断定することは難しい。ノルウェーとドイツ間の海底パイプライン「ノルパイプ」に対する妨害工作（サボタージュ）も、全くの夢物語ではない。北大西洋条約機構（ＮＡＴＯ）は、このパイプライン周辺の海域での警戒活動を強めると発表している。しかし「ノルパイプ」の全長は443キロメートルもあるので、警戒活動によって攻撃を未然に防ぐのは難しい。ガス危機の可能性を排除できないだけに、ドイツ人たちは当分の間、気を緩めるわけにはいかないのだ。

ここまで、ロシアのウクライナ侵攻がドイツのエネルギー調達に大混乱をもたらした実態についてお伝えしてきた。戦争の余波でガスや電気料金が高騰したために、市民が強い不安感を抱き、産業界は第二次世界大戦後最も深刻な危機の瀬戸際まで追い詰められた。

ではなぜ、ドイツはロシア一国に天然ガスを大きく依存するようになったのか。どこでその政策を誤ったのか。ドイツの失敗に学び、日本が同じ過ちを犯さないためのヒントを、次章で探っていきたい。

# 第2章

## なぜドイツはロシアに天然ガスを依存するようになったのか

### 中東に原油の9割を依存する日本が、同じ過ちを犯さないために

## ▼天然ガス輸入量の60%をロシアに依存していたドイツ

前章でお伝えしたように、2022〜2023年の冬に、ドイツは友好国の天然ガス供給や企業・市民の節約努力などによって、深刻な天然ガス不足は回避された。暖冬という幸運にも恵まれて、危機は回避されたものの、2022年の夏にロシアが西欧への天然ガス供給を止めた直後は、製造業界や市民の間の不安感は相当強かった。

それは、この国がロシアで採掘される化石燃料に大きく頼っていたからだ。国際エネルギー機関（IEA）によると、2021年にドイツが外国から輸入した天然ガスのうち、59・5%がロシアから輸入されていた。原油の33・2%、石炭の24・3%もロシアからの輸入だった。

欧州連合（EU）は、ロシアにとって、化石燃料ビジネスにおける最大の顧客だった。石油会社ブリティッシュ・ペトロリアム（bp）の統計によると、ロシアが2020年に輸出した天然ガスの75・7%がEUに送られたが、そのうちドイツの比率は28・5%と最も多かった。この物づくり大国は、ロシアの天然ガスを化学工場や製鉄所でふんだんに消費してくれる、最大のお得意様だった。

ロシアは、中東や米国に比べるとドイツからの距離が近い。このためパイプラインで送られる天然ガスは、タンカーで中東や米国から運ばれるＬＮＧよりも安い。ｂｐの「２０２２年版世界エネルギー統計概要」によると、２０２１年にドイツがロシアからパイプラインで輸入していた天然ガスの価格は、１００万Btu（英熱量）あたり8・94ドルだった。これに対し、２０２１年に日本が買っていたＬＮＧ（日本・韓国マーカーと呼ばれる種類）の価格は18・６ドルだった。つまりドイツがロシアから買っていた天然ガスの値段は、日本が買っていたＬＮＧの値段の半分以下だった。

天然資源が少ない物づくり大国ドイツは、割安のロシアの化石燃料を大量に輸入し、ベンツやＢＭＷ、ポルシェなどの高級車、工作機械など付加価値の高い工業製品をつくって世界中に輸出するというビジネスモデルによって、長年にわたり国富と雇用を増やしてきた。この国の繁栄は、ロシアからの安い化石燃料によって支えられていた。化石燃料の輸入先こそ違うものの、やはり資源小国・物づくり大国である日本も、ドイツと似たような構造で経済を回していることは間違いない。

## ▼きっかけは第一次オイルショック

天然ガスの約6割を供給していた国が、豹変してその供給を止めた。ドイツが輸入する天然ガスの約37%を、この国の産業界が使っていた。つまり物づくり業界にとっては、喉元に匕首(あいくち)を突き付けられたようなものだ。

ロシアは長年にわたり、ドイツ産業界が気づかないうちに、物づくり業界の生殺与奪の権を握っていた。産業界は、「ロシアの天然ガスが豊富に供給され、好きなだけ使えるのは当たり前」と思い込んでいた。だがその常識は、2022年に突然崩れた。コロナ・パンデミックに匹敵する、「ブラック・スワン(黒い白鳥=通常はあり得ないと思われる、想定外の事態)」が舞い降りた。

なぜドイツのロシアへの依存度は、これほど高くなってしまったのだろうか。

理由の一つは、1973年秋の第一次石油危機だった。中東の産油国は、イスラエルを支援する欧米諸国に対して石油禁輸に踏み切り、西側の工業国に強いショックを与えた。西ドイツではガソリンや灯油価格が高騰した。このため政府は、「エネルギー安定化法」

という新しい法律を施行させて、同年11月と12月に市民に対して日曜日の車の使用を禁止した。

西ドイツが１９７４年に原油輸入のために支払った代金は、前年に比べて１５４％も増えて、２３０億マルクに達した。自動車の販売台数は激減し、化学業界、製鉄業界などで失業者が急増した。１９７３年にはドイツの平均失業者数は27万３０００人だったが、１９７５年には１００万人を超えた。

ドイツ政治教養センターによると、西ドイツの１９５０〜１９６０年のＧＤＰの平均成長率は８・２％だった。だが第一次石油危機が起きた１９７０〜１９８０年の平均成長率は、２・９％に急低下した。「石油はいくらでも使える」という幻想が打ち砕かれた。オイルショックは、西ドイツを第二次世界大戦による荒廃から復活させた「奇跡の経済成長」に、終止符を打った。

日本でもオイルショックの影響で、１９７４年に経済成長率がマイナス１・２％を記録した。我が国の経済成長率がマイナスに転じたのは、この時が第二次世界大戦後初めてである。深刻な物資不足が起こると思い込んだ消費者たちが商店に殺到し、トイレットペーパーや洗剤を買い占める騒ぎも起きた。当時の通商産業省は、エネルギー問題の重要さを認識し、1973年に資源エネルギー庁を設置した。この時、日独政府は、外国にエネルギーを頼ることが経済成長にとってアキレス腱となるという現実を痛感した。

西ドイツ政府・産業界はこの時の苦い経験から、エネルギーの調達先を多角化することを迫られた。1970年代以降、電力業界が原子力発電所の建設を始めたのも、石油危機がきっかけだ。さらに当時のヴィリー・ブラント政権は、天然資源の宝庫ソ連に目をつけた。1973年に、西ドイツはソ連の天然ガスを輸入し始めた。

## ▼ドイツがソ連と協調したもう一つの理由

ソ連からの天然ガス輸入には、ドイツならではのもう一つの理由があった。それは経済と政治の関連付けである。左派政党・社会民主党（SPD）に属していたブラント首相（当時）は、資源貿易を通じて東西の緊張緩和を目指した。

当時ドイツは、社会主義国・東ドイツが1961年に築き始めたベルリンの壁によって東西に分断され、多くの家族が生き別れになっていた。ブラント首相はこの実態に心を痛めた。彼は、東西ドイツの市民がお互いに訪問できるようにするには、社会主義陣営の盟主・ソ連との緊張緩和が必要だと考えた。

反共主義が強く、ソ連との対決を前面に押し出していた保守政党・キリスト教民主同盟（ＣＤＵ）とは対照的に、ブラント首相は貿易や文化交流などでソ連に接近することによって、相手を軟化させる政策を選んだ。ブラントの東方政策の基盤は、「Wandel durch Annäherung（接近することで相手の姿勢を変える）」、または「貿易によって相手の姿勢を変える」という路線だった。敵との接触を拒否し続けるのではなく、ビジネスを通じて相手に接近することで対話のきっかけを作り、政治的な雪解けを図るという作戦だ。

貿易を通じたソ連接近は、「ナチス時代の過去と批判的に対決し、被害国に対して反省の念を示すべきだ」という戦後西ドイツのリベラル勢力の姿勢とも関連があった。つまりＳＰＤがソ連に対して宥和的な姿勢を取った背景にあったのは、第二次世界大戦でナチス・ドイツが約２７００万人ものソ連市民、兵士を殺害したことに対する負い目である。

ソ連は、第二次世界大戦での犠牲者数が世界で最も多い国である。ドイツが加害者となった過去を反省し、侵略戦争により被害を受けた国との友好関係を深める。これは、ドイツのリベラル勢力の良心の表れだ。

私は１９９１年に、ロシア戦線で戦った元ドイツ兵を含むグループとともに、ナチス・

ドイツが住民を虐殺した旧ソ連領の国々（ベラルーシとウクライナ）を訪ねたことがある。この学習旅行を企画したのも、ＳＰＤ支持者が多いプロテスタント系ＮＧＯだった。

こうした事情のために、ＳＰＤにはもともと親ロシア派が多い。親米色が濃いＣＤＵとは対照的に、反米主義を露骨に表すＳＰＤ党員も少なくない。ＳＰＤは「ドイツは米国だけに依存するのではなく、ソ連（ロシア）との関係も維持するべきだ」と主張した。

こうした潜在的な反米主義・嫌米主義は、今でもドイツ社会の底流にある。親ロシア・嫌米的傾向は、特に旧東ドイツで目立つ。旧東ドイツは、この国が壁で分断されていた時代に、ソ連に隷属した共産主義政党によって支配されていた地域だ。

## ▼東西冷戦中も天然ガスを西欧諸国に供給

ソ連は、東西冷戦たけなわの時代にもエネルギー供給契約をきちんと履行し、西欧に天然ガスを送り続けた。

北大西洋条約機構（ＮＡＴＯ）とワルシャワ条約機構の戦車部隊は、欧州大戦に備えて、東西ドイツ国境を挟んで、定期的に大規模な軍事演習を繰り返した。

１９８０年に初めて西ドイツを訪れた私は、列車の中から、田園地帯を進撃する英軍の戦車部隊や、米軍の地上攻撃機Ａ10が低空飛行を行って、地上の戦車を攻撃する訓練をしているのを目撃した。ある晩、駅に停車した夜行列車の窓から外を見ると、隣の線路の貨車の上に、緑褐色に塗られたゲパルト対空戦車の二連装対空機関砲が鈍い光を放っていた。

１９８０年代には、米ソがそれぞれ欧州に中距離核ミサイル「パーシング２」と「ＳＳ－20」を配備して、核戦争の危険が一段と高まった。当時米国の大統領だったロナルド・レーガン氏は、「東西ドイツでの限定的核戦争はあり得る」と発言して、ドイツ人たちに衝撃を与えた。当時のドイツの状況は、朝鮮戦争以来38度線で分断された韓国と北朝鮮の状況に酷似していた。

だが東西間の緊張の高まりにもかかわらず、ソ連からの天然ガスは西欧に送られた。米ソ両陣営が東西ドイツで睨み合っていた時代にも、ロシアが２０２２年にしたような、天然ガス輸送を止めたことは一度もなかった。

１９７９年には、ソ連軍がアフガニスタンに侵攻した。このため翌年に米国などがモスクワ五輪をボイコットして、東西関係は悪化した。だが、この時にもソ連の天然ガスは、西欧へ向けて滔々（とうとう）と流れ続けた。

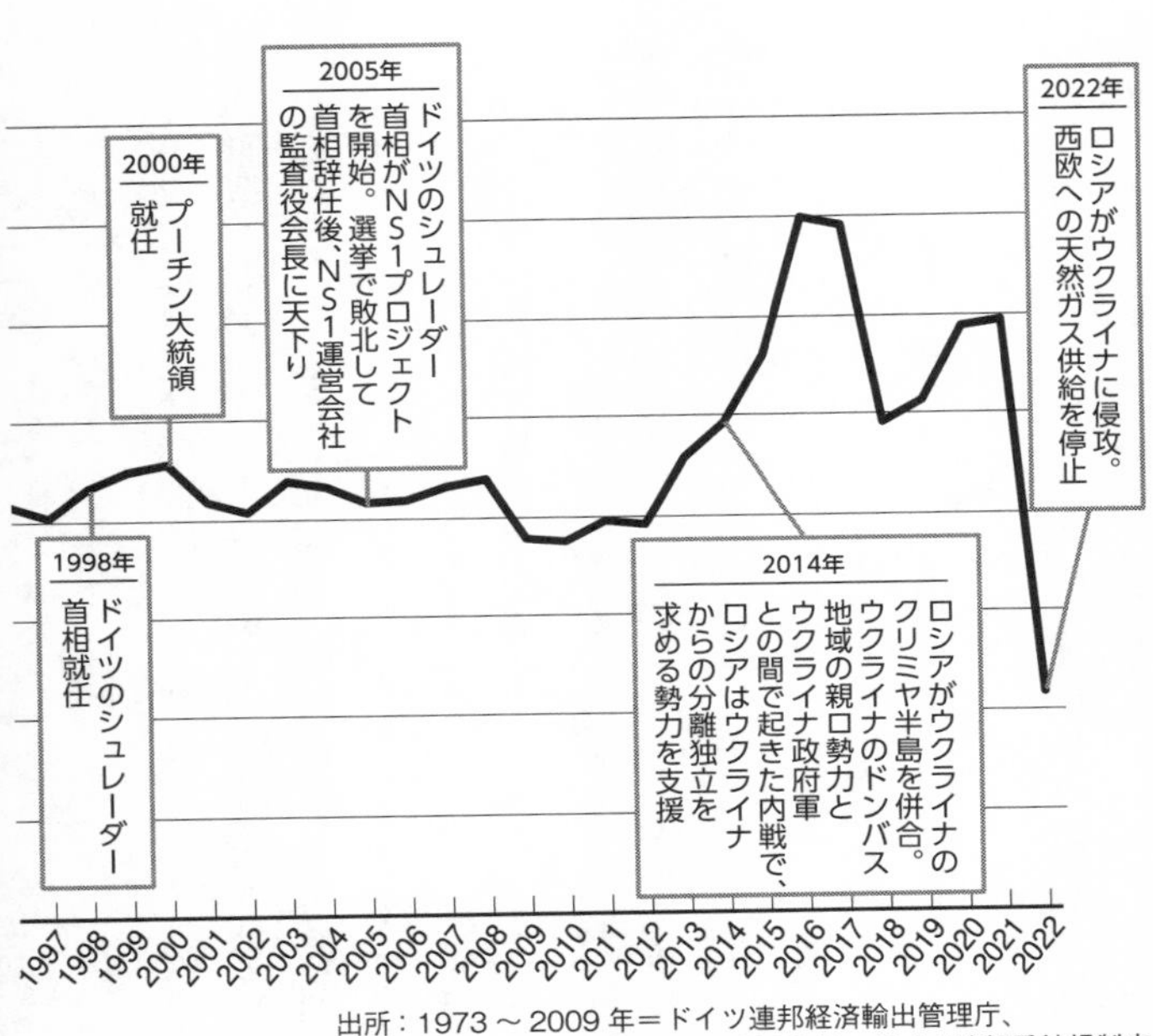

出所：1973～2009年＝ドイツ連邦経済輸出管理庁、
2010～2021年＝IEA、2022年＝ドイツ連邦系統規制庁

その理由の一つは、天然ガスなどの化石燃料がソ連にとって最も重要な外貨収入源だったからである。

西ドイツなど西欧諸国は、ソ連のアフガニスタン侵攻を非難しながらも、ソ連の化石燃料を買い続けた。西欧諸国は、「冷戦は冷戦、商売は商売」ときっちり割り切っているかのように感じられた。私は当時大学生だったが、政治と貿易を切り離して考える、西欧諸国のしたたかさを感じた。

この経験は、ドイツに「エネルギーについては、ソ連（ロシア）

（図表2-1）ロシアは冷戦時代にも天然ガスをドイツに送り続けた

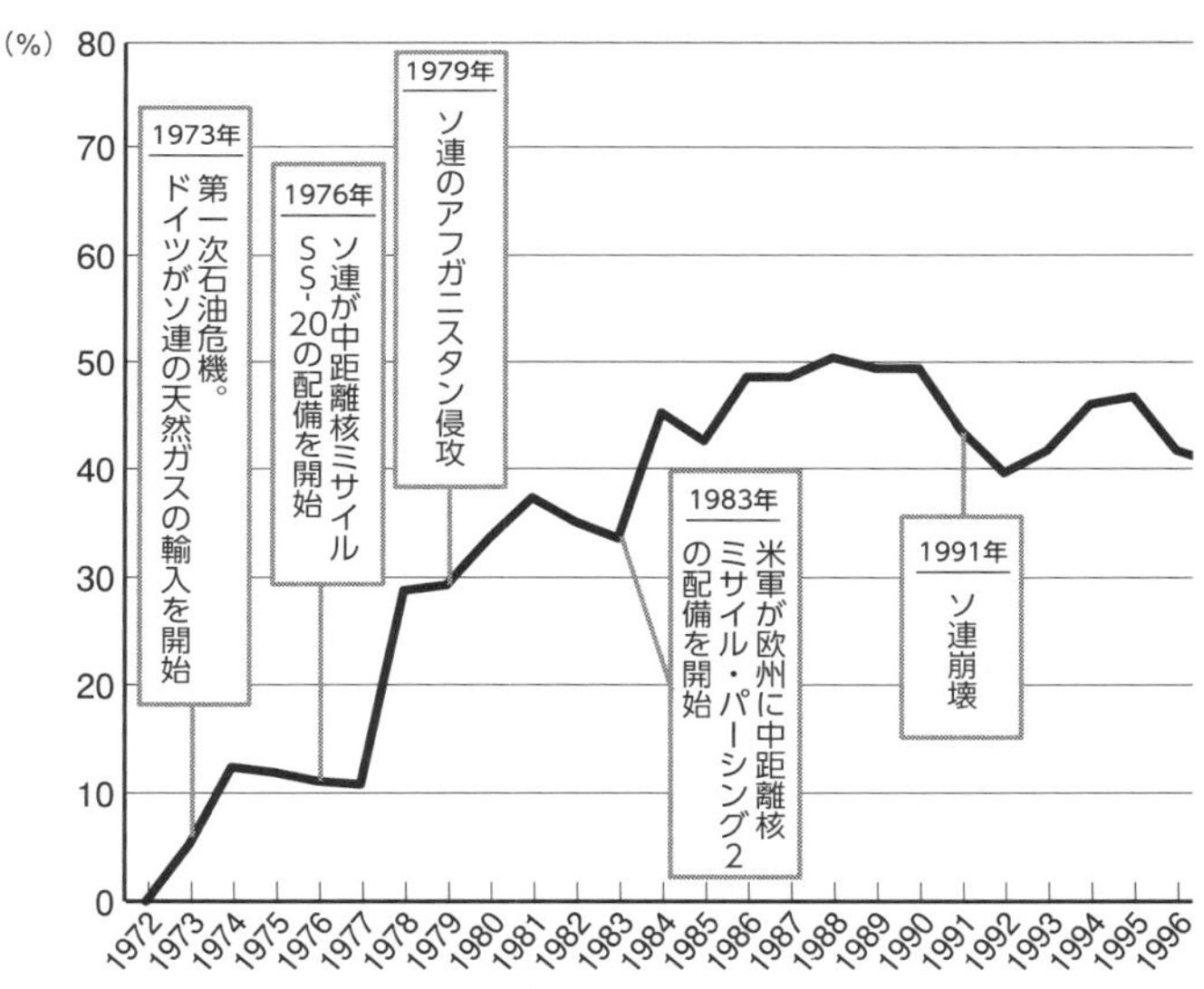

ドイツが輸入した天然ガスに、ロシア産が占める比率

は信頼できる。この国がエネルギーを政治的な武器として使うことは、あり得ない」という誤った安心感を与えた。

東西冷戦時代の経験に基づいて、ドイツや西欧諸国は、ソ連（ロシア）を長年にわたって「信頼できる貿易相手」と見なしてきた。

だが1991年12月31日に解体されたソ連と、1992年に建国されたロシアの間には、決定的な違いがあった。それは、ソ連が政治局を持つ集団指導体制を採用していたことだ。このため最高指導者である共産党書記長が独りで暴走する危険性は、現在に比べると少なかった。

ところが2000年に大統領に就任したプーチン氏に率いられたロシアでは、集団指導体制はなく、権力が大統領に集中した。つまりプーチン大統領は、一種の「独裁者」になった。これは、ロシアの指導者が暴走する危険性が、ソ連時代よりも高くなったことを意味する。ソ連の秘密警察KGB（国家保安委員会）出身のプーチン氏は、KGBの後身FSB（連邦保安庁）出身者またはFSBの息のかかった政治家や官僚を、政府の要職に配置した。

西欧諸国は、ロシアが国際法に違反したり、反体制派を投獄したり、西側に亡命した元スパイを暗殺したりした時などには、一応ロシア政府を批判する声明を発表した。だが彼らの抗議は言葉だけで、2022年2月以降の対ロ経済制裁のような厳しい措置を伴わなかった。

欧州諸国は、ロシアが西欧の価値にそぐわない態度を取っても、エネルギービジネスは継続するという「政経分離主義」を、ソ連解体後のロシアに対しても適用した。この政経分離主義こそが、ドイツのロシア依存度を異常なまでに高めた根本的な原因だった。

## ドイツの元首相がロシアの走狗(そうく)に?

ドイツのロシアへの依存度を特に高めたのが、1998~2005年まで首相だったゲアハルト・シュレーダー氏(SPD)である。

彼は現職時代からプーチン大統領と親交を重ねた、刎頸(ふんけい)の友と言うべき間柄だった。シュレーダー氏は、首相だった2005年に、ロシアからドイツへガスを直接送る海底パイプラインNS1の建設プロジェクトをスタートさせた。プロジェクト開始を祝う式典には、シュレーダー首相(当時)とプーチン大統領が出席した。

シュレーダー氏は、プーチン大統領をハノーバーの自宅に招待したり、プーチン大統領のソチの別荘に行って一緒にサウナでビールを飲んだりするほど親しい仲だった。文字通り裸の付き合いである。

プーチン大統領は、1985年から1990年まで、ソ連の秘密警察・国家保安委員会(KGB)の将校として、社会主義時代の東ドイツ・ドレスデンに駐在し、情報収集を行ったり、東ドイツで活動するソ連のスパイを指揮したりした。東ドイツの秘密警察シュタ一ジ（国家保安省）との連絡役も務めた。彼がシュタージの施設に自由に出入りできるように、プーチン氏のために発行されたシュタージの身分証明書が残っている。彼がシュタージ主催の立食パーティーに出席している写真もある。

だがプーチン氏は、東ドイツで社会主義体制の崩壊を目撃する。1989年の東ドイツでは、ハンガリーやチェコ経由で西ドイツに亡命する市民が急増した。さらに東ドイツ国内でも、エーリヒ・ホーネッカー国家評議会議長の退陣と政治の民主化を求める市民たちが抗議デモを行い、警官隊と衝突した。この時ドレスデンにいたプーチン氏は、社会主義体制の改革を求める市民たちが、ドレスデンのKGB支部に押しかけるのを見た。東ドイツは、ソ連に最も忠実な衛星国だった。その国で、ソ連による支配体制が音を立てて崩れていくのを目の当たりにしたのだ。

1989年11月にベルリンの壁が崩壊し、東西ドイツは1990年10月3日に統一を実現した。連合軍による占領状態が終わり、ドイツが主権を回復した。東ドイツに駐屯していた約30万人のソ連軍部隊は、撤退した。すでにポーランド、ハンガリー、ルーマニアなどでもドミノが連鎖的に倒れるように、社会主義政権が崩壊して民主化が進んでいた。東ドイツなど旧衛星国は、ナチス・ドイツに勝ったソ連にとって「勝利のトロフィー（戦利品)」だったが、ソ連は戦利品を失った。その翌年にはソ連も解体され、クレムリンに掲げられていた赤旗が下ろされた。プーチン大統領は後に「ソ連崩壊は、20世紀最大の破局だ」と語っている。

プーチン大統領は東ドイツで5年間働いたので、ドイツ語に堪能である。彼はロシアの大統領の座に就いた後、2001年9月にドイツ連邦議会を訪問した。彼はそこでドイツ語で演説し「冷戦は終わった。ドイツとロシアは協力して、欧州共通の家を作ろう」と訴えた。

ロシアの大統領がドイツ語を使って、連邦議会で演説したのは、初めてだった。彼は演説の中でゲーテやシラーにも触れ、ドイツ文化に対する尊敬の念を表した。この演説は多くのドイツ人に感銘を与えた。当時、プーチン大統領の経歴や背景を知るドイツ人は少なかった。当然、プーチン大統領がKGBを退職してサンクトペテルブルク市当局で働いていた頃、地元の組織暴力と繋がりを持っていたことを知る者などいなかった。

一部の政治家は、プーチン大統領について「ロシアに新風を吹き込む改革者」という楽観的なイメージを抱いた。特にシュレーダー氏は、「プーチン大統領は、虫眼鏡で見ても傷一つない、正真正銘の民主主義者だ」と太鼓判を押した。当時のニュース映像を見ると、シュレーダー氏はプーチン大統領と一緒にいる時には満面の笑みを絶やさず、「べた惚れ」という印象を与える。この人物が、21年後にウクライナに対する侵略戦争を開始することを見抜いた者は一人もいなかった。

やがてシュレーダー氏は、プーチン大統領に金銭面でも完全に取り込まれる。彼は2005年の連邦議会選挙で敗北して首相の座から降り、議員も辞職した。その後プーチン大統領から直々に電話で要請されて、NS1の運営企業の監査役会長に天下りした。

この企業はロシアのガスプロムがスイスの租税回避地ツークに持っていた子会社である。元首相が、現役時代に始めたプロジェクトを運営する民間企業、それもロシア系企業の重役になった。この天下りはドイツの法律に違反する行為ではなかったものの、これが腐敗でなかったら、何が腐敗だろうか。

NS1は、2011年にドイツに天然ガスを送り始めた。NS1の稼働により、ドイツのロシア産天然ガスへの依存度は、2010年の37・5％から2020年には58・9％にはね上がった。

## ▼ロシア企業からの毎年1億円を超える報酬

シュレーダー元首相は、事実上、ロシア政府のロビイスト、プーチン大統領の子飼いの部下になった。NS1に並行するパイプラインNS2を建設し、ドイツへのガス供給量を倍増させせようとして、メルケル政権（2005〜2021年）に働きかけた。

同じSPDに属しシュレーダー氏の派閥に属したフランク・ヴァルター・シュタインマイヤー氏（現大統領）も、親ロシア派だった。彼はシュレーダー政権で連邦首相府長官を務めた。さらに、SPDとCDU・CSUによる大連立政権（第3次メルケル政権）では、2013年から4年間にわたり外務大臣を務め、ロシアからのエネルギー輸入量の増加に尽力した。

ちなみに2017年から約1年間外務大臣を務めたジグマー・ガブリエル氏や、2021年にドイツの首相に就任したオラフ・ショルツ氏も、SPDのシュレーダー派に属した。つまり21世紀に入ってからSPDの指導層は、シュレーダー氏の息のかかった、親ロシア派の政治家たちによって占められていた。プーチン大統領の思う壺である。

シュレーダー氏は、ロシアの金によってがんじ搦めにされた。彼はNS1とNS2の運営会社だけではなく、一時はロシアの石油会社ロスネフチの監査役会長も務めた。このため彼の年収は、一時総額100万ドル（1億4000万円）に達したと推定されている。ガスプロムは2022年にシュレーダー氏を自社の監査役会長に推薦しようとしていた。しかしウクライナ戦争のために、ガスプロムの監査役会長への就任は実現しなかった。

2014年にシュレーダー氏は、サンクトペテルブルクのガスプロム本社で、70歳の誕生日を祝った。この時、プーチン大統領はモスクワからわざわざ飛行機でサンクトペテルブルクに駆け付け、本社前でシュレーダー氏を固く抱擁した。その写真は、2人の関係の深さを強く印象付けた。

彼はウクライナ戦争勃発後も、プーチン大統領と面会できる、西側では数少ない人物の一人だ。彼は2022年7月にスイスの実業家から、「ウクライナ政府のために、停戦条件についてプーチン大統領の見解を聞いてほしい」という依頼を受けた。シュレーダー氏が携帯電話でベルリンのロシア大使館に「プーチン大統領に会いたいので、アポイントメントを取ってほしい」と要請したところ、大使館から「明日ならば面談できる」という返事が来た。EUの経済制裁措置のために、ドイツからロシアに飛行機で直接行くことは不可能なので、シュレーダー氏はトルコ経由でモスクワへ飛び、実際にプーチン大統領と面談した。だが停戦工作は全く実を結ばなかった。

シュレーダー氏がプーチン大統領との間で、個人的に親しい関係を築いていたことは事実だが、ウクライナ侵略という、欧州の安全保障の行方を左右する大事件については、影響力を行使することはできなかった。このことから、「自分たちは親友だ」と考えていたのはシュレーダー氏だけで、現在のプーチン大統領はシュレーダー氏を「ドイツの政界で影響力を失った、利用価値のない人物」と見ていることが窺われる。

シュレーダー氏は、プーチン大統領にうまく利用されたのだろう。秘密警察や諜報機関は、自分の掌中に収めたいと考えた人間と長年にわたって親交を結び、協力者に仕立て上げる。ＫＧＢでも伝統的な手法である。秘密警察や諜報機関で働いた者にとって、本音を隠して嘘をつくことは日常茶飯事である。

秘密警察出身の人間と付き合う際の鉄則は、「この人は嘘をつくことが当たり前と考えている」と意識することだ。シュレーダー氏をはじめとするドイツの多くの政治家は、この鉄則を守らず、プーチン大統領に取り込まれた。プーチン大統領は、ＫＧＢで学んだ手法を使って、ドイツの元首相を金で籠絡(ろうらく)し、欧州最大の経済パワーが長年にわたってロシアからの安い化石燃料という「甘い毒」に依存するように仕向けた。

シュレーダー氏は、2022年4月にニューヨークタイムズの記者が行ったインタビューで、「もしもガスプロムがドイツへの天然ガス供給を止めたら、私はNS1運営会社の監査役会長を辞任する」と語った。彼がこのポストを辞任したというニュースは、まだ流れていない。

## メルケル前首相の「事なかれ主義」で事態が悪化

だがドイツのロシア産天然ガスへの依存度が高くなったのは、シュレーダー氏だけの責任ではない。2005年に首相に就任したアンゲラ・メルケル氏も、政治と経済（貿易）を分けて考える「事なかれ主義」によって事態を悪化させた。

1954年生まれのメルケル氏は社会主義時代の東ドイツで育ち、ベルリンの研究所で物理学者として働いた。このためソ連の支配体制、監視社会の恐ろしさを知っており、ロシアに対してはシュレーダー氏に比べると批判的だった。

メルケル前首相は、ロシア語を話せる。日本にはメルケル氏について「プーチン氏と仲が良い政治家」という見方もあるが、それは正しくない。社会主義時代の東ドイツの学校では、ロシア語は必修科目だった。メルケル氏はロシア語コンクールで優勝してソ連旅行に招待されるほど、ロシア語が堪能だった。

彼女はプーチン大統領とロシア語で会話できる上、西側政府の指導者の中で、プーチン大統領と最も頻繁に会談した政治家の一人であることは間違いない。しかしメルケル首相は、シュレーダー氏のようにプーチン大統領と個人的な親交を結ぶことはなく、その関係はむしろ冷ややかだった。

たとえばメルケル氏は、モスクワを訪問した時、クレムリンだけではなく、スターリン時代の政府による反対派の処刑などの国家犯罪を記録する市民団体メモリアルの事務所を訪問して、ロシア政府の神経を逆撫でした。ロシアは、ウクライナ侵攻開始後、メモリアルの活動を禁止した。

プーチン大統領は、元KGBらしい嫌がらせをしたことがある。メルケル氏はドイツ国内で犬に嚙まれたことがあるので、犬が嫌いだ。ドイツ外務省は、メルケル氏が外国を訪問する時、相手国に対して「会談が行われる部屋に、絶対に犬は入れないように」と事前に要請していた。

プーチン氏は、2007年にメルケル氏とロシア南部ソチの別荘で会談した。会談が始まる前には、両首脳が椅子に座り報道陣に写真を撮らせる。この時、プーチン氏はわざと遅れて、メルケル氏を先に記者やカメラマンたちがいる部屋に行かせた。その部屋には、紐でつながれていない、大きなラブラドル犬が歩き回っていた。後から部屋に入って来たプーチン大統領は、記者団の前でメルケル氏が恐怖のために顔をこわばらせるのを見て、ほくそ笑んでいた。プーチン大統領はメルケル氏に「犬が怖いのですか？　何もしませんよ」と声をかけた。この場にいたメルケル氏の側近は、「相手を萎縮させるための、元KGBらしいやり方だ」と語っている。相手の弱みを自分の目的のために利用するのは、秘密警察の伝統的な手法だ。

だがメルケル氏も、この独裁者に敢然と抵抗はしなかった。政治と経済は別と見なし、その国の政府が国際法違反や反体制派の抑圧などを行っても糾弾しない。こうした貿易優先の「政経分離主義」を、メルケル氏もシュレーダー政権から引き継ぎ、独ロ関係に波風を立てることを避けた。

## クリミア併合の暴挙にもかかわらずパイプライン建設を許可

メルケル氏のそうした態度がはっきり表れたのは、2014年のロシアによるクリミヤ半島併合からである。プーチン大統領は同年2月17日にウクライナ領土だったクリミヤ半島に約2000人の戦闘部隊を送って空港などの要衝を占拠させ、同年3月18日にロシアに併合した。明らかな国際法違反である。

さらに、この年にウクライナ東部のドンバス地域（ウクライナ東部のドネツク州とルハンシク州を合わせた地域）で、親ロシア派勢力がウクライナからの独立を求めて、ウクライナ正規軍との間で内戦を始めた時にも、ロシアは独立分離派を支援した。ウクライナ人たちは、「ロシアとの戦争はすでに2014年に始まった」と主張している。

だが、EUはロシアに対して現在ほど厳しい経済制裁措置を発動しなかった。メルケル氏もロシアとウクライナの間に立って、ドンバスでの内戦を終結させるために調停活動は行った。しかしメルケル氏はEUに対し、ロシアの国外資産の凍結、天然ガス、原油、石炭の輸入禁止など、ロシアを国際経済の中で孤立させるほどの厳しい制裁の実施は求めなかった。EUが2014年から2015年にかけて実施した対ロ経済制裁措置は、2022年に比べて緩かった。

当時ロシアのガスプロムは、ドイツ・西欧に売る天然ガスの量を2倍に増やすために、NS1に並行して走るNS2の建設を計画していた。NS2が完成すれば、ドイツが輸入する天然ガスにロシア産が占める比率は約70％に達するはずだった。

バルト三国やポーランドの政府は、ロシアの対外政策が2014年のクリミヤ併合を境に、攻撃的な方向に大きく変化したと考えた。このためこれらの国々は、2014年以降、ロシア産天然ガスへの依存度を減らすために、液化天然ガス（LNG）の陸揚げターミナルの建設を始めた。

そしてウクライナ、ポーランド、バルト三国の政府は、当時メルケル政権に対し、「ロシアは将来、天然ガスを政治的な武器として使う。したがって、NS2の建設を許可してはならない」と警告した。ポーランドは第二次世界大戦中に国土の東半分をソ連に占領され、バルト三国はソ連に編入された経験を持つ。これらの国々の知識人や軍人は、貨物列車でロシアに移送されて森の中で射殺されたり、シベリアの極寒の労働収容所で強制労働に従事させられたりした。過去の経験から、ロシアという国の恐ろしさが骨身にしみていた。

だがドイツは、「我々のほうがロシアとの付き合い方を知っている」と言わんばかりに、東欧諸国の警告を無視した。そしてメルケル政権は、ロシアのクリミヤ併合から約1年しか経っていない2015年に、NS2の建設を許可した。メルケル氏は、隣国の領土を武力で横取りするという、国際法に違反するロシアの行為にもかかわらず、ロシアのエネルギーへの依存度をさらに高める道を選んだ。

もしもメルケル氏が2014年にロシアの脅威を理解していたら、NS2の建設許可は与えなかったに違いない。つまり同氏は、ロシアがウクライナの領土を強引に奪い取ったにもかかわらず、ロシアとのエネルギー貿易をさらに拡大する道を選んだ。この矛盾した政策は、当時のメルケル政権のリスク分析が誤っていたことを示している。

## ▼ドイツ国内の地下天然ガス貯蔵設備をロシアに売り渡す

それだけではない。当時メルケル政権は、もうひとつ重大なミスを犯した。2015年に、ドイツの大手化学メーカーBASFが、北部レーデンにある西欧最大の地下天然ガス貯蔵設備を所有する子会社を、ロシアのガスプロムに売却することを計画し、政府に承認を求めた。BASFは、シベリアでの天然ガス採掘権を手に入れることと引き換えに、ドイツの地下天然ガス貯蔵設備を所有する子会社をロシアに売ろうとしたのだ。

今考えると驚くべきことだが、メルケル政権は、ロシアのクリミヤ併合から1年しか経っていない2015年に、この申請を許可した。つまりガスプロムは2015年から2022年まで約7年間にわたり、ドイツ最大の地下天然ガス貯蔵設備の運営権を手に入れたのだ。メルケル政権は、天然ガスの調達だけではなく、国内の天然ガス貯蔵設備まで一時的にロシアの手に委ねてしまった(ロシアのウクライナ侵攻が始まった後の2022年11月に、ドイツ政府はあわててガスプロムのドイツ子会社を国有化し、地下天然ガス貯蔵設備の所有・運営権をドイツの手に取り戻した)。

ロシアの2014年のクリミヤ併合は、いわば2022年のウクライナ侵略戦争の「前哨戦」だった。プーチン大統領は、東西冷戦終結後の欧州で最もあからさまな国際法違反を行うことで、欧米がどう反応するかを見極めようとした。当時のメルケル政権は、ロシアの暴挙に対して厳しい制裁措置の導入を実施するどころか、ロシアとの天然ガス貿易をますます深めていった。欧米がクリミア併合について厳しく反発しなかったので、プーチン大統領は「ウクライナに侵攻してもたいしたことにはならないだろう」と考えたのだ。NS2建設許可と地下ガス貯蔵設備の所有企業の売却許可は、メルケル氏の事なかれ主義を象徴している。

シュレーダー氏の部下だったシュタインマイヤー大統領は、2022年の4月に「東欧諸国の警告を無視して、エネルギーを架け橋として独ロ間の関係を深めようとした私の政策は、失敗だった。私はプーチン大統領の真意を見抜くことができなかった」と述べ、過去の政策ミスを認めた。現役の大統領が自分の過去の政策が誤っていたことを公に認めたのは異例である。

## むなしく響く「ロシアとの対話を維持しておくことが重要」の弁明

一方メルケル氏は、「ロシアは、欧州で核兵器を最も多く保有している国だ。私がエネルギー貿易を拡大させたのは、そのような国と常に対話のチャンネルを開いておくことが重要だと思ったからだ」と述べ、自分の政策を正当化した。同時にメルケル氏は、「まさかプーチン大統領がクリミヤを併合するとは予想していなかった」と述べ、ロシアの指導者に対する見方が甘かったことを認めた。

またメルケル氏は、あるインタビューの中で「我々はロシアに対して、もっと強硬な態度を取るべきだった」と語り、2014年のクリミヤ併合以降の西側の対ロシア政策が、あまりにも宥和的であったことを認めた。

シュレーダー派に属していたドイツのショルツ首相（SPD）の対ロ姿勢も、当初は軟弱だった。そのことを象徴するエピソードがある。

2021年末から翌年初めにかけて、ロシアが約10万人の兵力をウクライナ国境付近に集結させ、米国政府は「ロシアは2022年にウクライナに侵攻する可能性が強い」と警告した。ウクライナやポーランド、ドイツの緑の党などは、「海底パイプラインNS2の稼働を禁止するべきだ」と主張した。NS2は2021年9月には完成し、その運営会社はドイツ政府に稼働許可を申請していた。

だがショルツ首相は米国や東欧諸国の警告を聞き流し、2022年1月の時点でも、「ロシアが建設しているパイプラインNS2は純粋に民間経済のプロジェクトであり、政治的目的とは関係がない」と繰り返した。

だが2022年2月22日に、ウクライナ東部の親ロシア勢力が「ドネツク人民共和国」

と「ルハンシク人民共和国」の独立を宣言し、プーチン大統領が独立を承認した。彼は親ロシア勢力を支援するために、これらの地域にロシア軍の派遣を命じた。

政経分離を重視するショルツ首相も、この時にはさすがにＮＳ２プロジェクトの危険性を認めざるを得なかった。彼は、ＮＳ２の運営会社が提出していたパイプライン稼働許可申請を審査する作業を停止した。

ドイツは遅まきながら過去の政策の間違いを認め、２０２２年末までにロシアからの原油と石炭の輸入を停止した。ドイツ政府は天然ガスについても「２０２４年までにロシアからの輸入を停止する」と発表していたが、先述した通りロシアは、２０２２年８月31日に先手を打ってドイツなどＥＵ加盟国への天然ガス供給を停止した。

つまりドイツはウクライナ戦争が引き金となったエネルギー情勢の激変に対応し、開戦からわずか約10ヶ月でロシアの化石燃料の輸入を停止した。

ショルツ首相が属するＳＰＤの執行部も、ウクライナ戦争勃発後に公表した新しい対外戦略の中で、「ドイツ政府は米国や中東欧諸国の警告を無視して、ロシアに対する依存度を高めすぎた」と指摘。その上で、「欧州の安全保障体制の構築にロシアも含めるべきだ」という伝統的な路線の誤りを認めた。

彼らはロシアについては、全方位外交は通用しないということに気づいた。その背景にはロシアが団地や病院を攻撃して民間人を無差別に殺傷しているだけではなく、エネルギーを政治目的を達成するための武器として使い始めたという認識がある。

現在ドイツでは、「ロシアは自らの判断で文明世界から離脱した国」という意見が主流である。ドイツ人たちは自分たちの路線が誤っていたと気づくと、方針を転換するのも早い。

ドイツの失敗は、過去の経験に基づいて、将来もエネルギーの半分以上を特定の国や地域に依存する政策の危うさをはっきりと示している。人間も、国家も、時代とともに変わるということを忘れてはならない。我々日本人も「地政学的な座標軸が変わった今日の世界では、エネルギー供給も一寸先は闇」という認識を抱くことが必要だ。ドイツの失敗から学ぶべきことは多い。

# 第3章

## いまだロシアからの天然ガス輸入を続ける日本のリスク

### 万が一、輸入がストップした時に起こる小さくない影響

## ▼日本もロシアから少なくない量の天然ガスを輸入している

第2章で、ドイツがロシアからの割安の天然ガスに大きく依存したために、経済の首根っこを押さえられた経緯についてお伝えした。日本政府は西側諸国の一員として、対ロシア経済制裁に加わっている。2023年5月に広島で行われたG7（主要7ヶ国）サミットでも、議長国日本は、ロシアのウクライナ侵攻を強く非難した。しかし、じつはその裏で、日本のエネルギー供給においてロシアの存在が決して小さくないことをご存じだろうか。

まず、日本がロシアからのエネルギーにどれほど依存しているかを見てみよう。資源エネルギー庁の2022年5月の発表によると、2021年に日本は、ロシアから657万トンの液化天然ガス（LNG）を輸入した。これは、2021年に日本が輸入したLNGの8・8％にあたる。2021年のドイツのロシア依存度（59・5％）に比べるとはるかに少ない。

## (図表3-1) 日本のロシアからのLNG依存度は1割に満たない

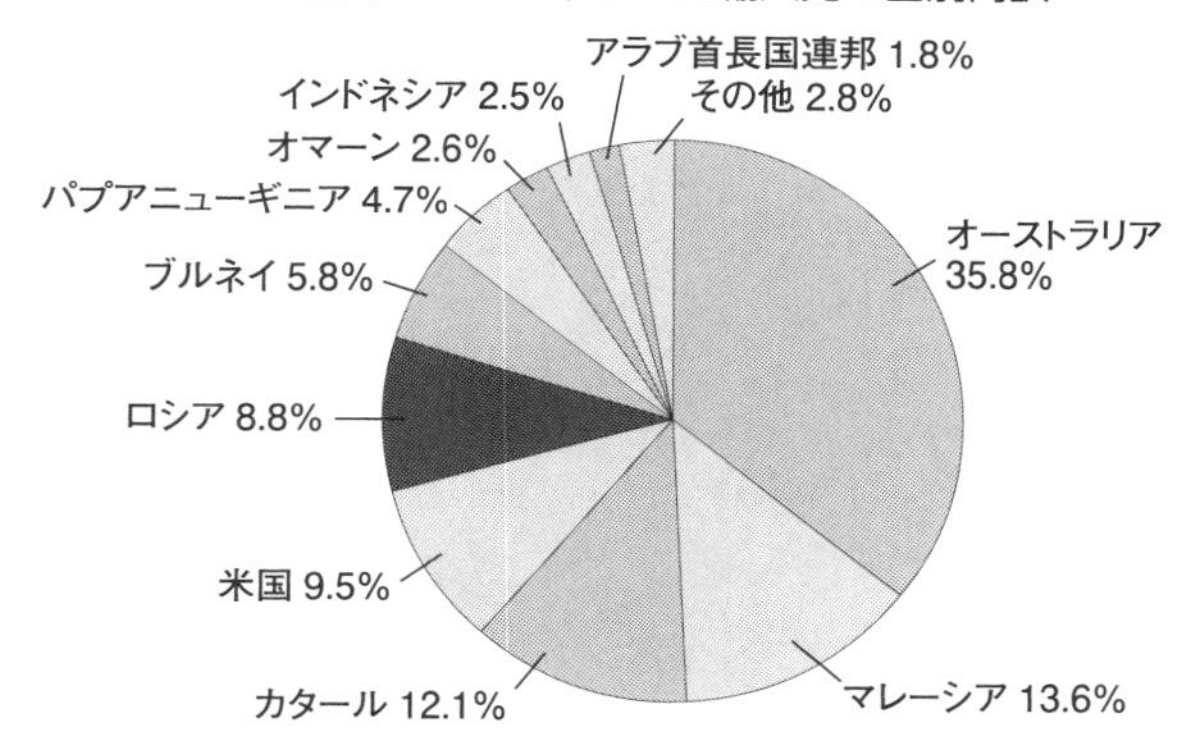


資料：資源エネルギー庁(2022年5月発表)

## (図表3-2) 日本のロシア依存度は、ドイツに比べてはるかに低い

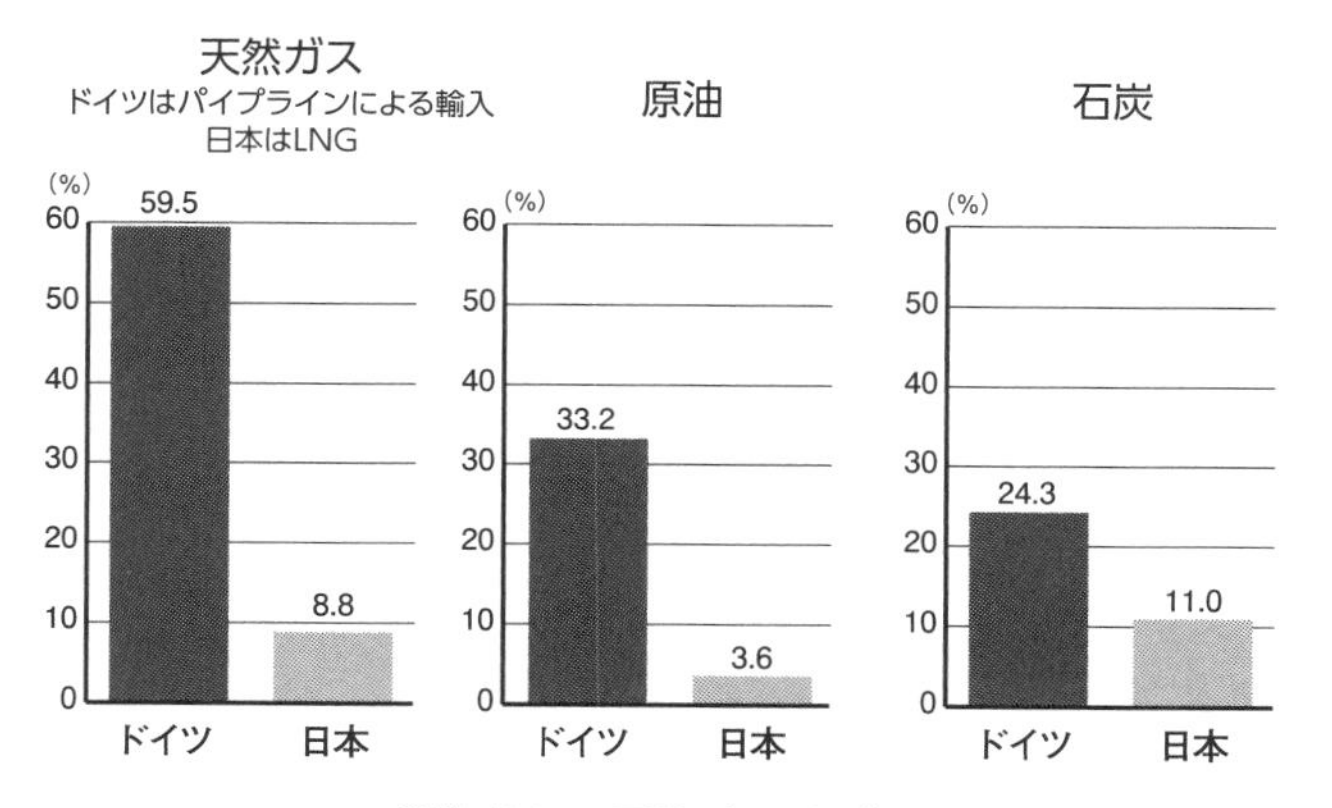


資料：ドイツ＝国際エネルギー機関、日本＝資源エネルギー庁

我が国が最も多くＬＮＧを輸入している国はオーストラリアで、マレーシア、カタール、米国と続く。ロシアは第5位だ。日本のＬＮＧ輸入量が最も多い５ヶ国のうち、４ヶ国は日本と友好的な関係にある。日本はドイツよりも調達先をうまく分散しているという印象を受ける。ドイツが陥ったような、輸入する天然ガスの半分以上をロシアに頼るという愚は犯していない（図表３－１参照）。

また２０２１年の日本の原油輸入量にロシアからの原油輸入量が占める比率は3・6％、日本の石炭輸入量にロシアからの石炭輸入量が占める比率は11％だ。２０２１年にドイツは原油輸入量の33・２％、石炭輸入量の24・３％をロシアに頼っていた。つまり日本のロシア産化石燃料への依存度は、ウクライナ戦争勃発直前の、ドイツの対ロシア依存度に比べるとはるかに低い（図表３－２参照）。

## 「ロシアからの輸入を止められたら、逼迫リスクを起こしかねない」

しかし、日本のロシアへの依存度がドイツに比べて低いと言っても、安心できない事情がある。資源エネルギー庁によると、日本の電力会社が２０２１年に輸入したＬＮＧの約

9％、日本のガス会社が輸入したＬＮＧの約10％がロシアから送られている。電力会社はこれらのＬＮＧを火力発電に使い、電力供給力の約３％を確保しているのだ。

数字だけ見ると、たった３％と思われるかもしれないが、資源エネルギー庁は、「ロシアからの天然ガスの供給がストップした場合、電気とガス需給の逼迫リスクを起こしかねない」と警告している。

たとえば西日本に本社を持つあるガス会社は、２０２１年の天然ガス購入量のほぼ半分をロシアからの輸入に頼っていた。また他のガス会社、電力会社の中にも、２０２１年のロシアからのＬＮＧへの依存度が10～12％の企業が数社ある。

ドイツには、過去の天然ガス採掘後の空洞を利用した、大規模な天然ガス地下貯蔵設備がある。寒さの厳しい冬に外国からの天然ガス供給が途絶えても、この貯蔵設備のためにドイツは約２ヶ月間は持ちこたえられる。だが日本には、このような大規模な天然ガス地下貯蔵設備はない。このため、冷房のために電力消費量が多くなり需給が逼迫する夏に、万一ロシアからのＬＮＧが途絶した場合、日本のエネルギー供給にも悪影響が出る可能性がある。

日本のエネルギー業界関係者によると、ＬＮＧ契約は長期契約であることが多いので、万一ロシアから日本へのLNG供給が途絶えた場合、たとえ比率が10%であっても、短期間に他の国からの輸入によって代替することは困難だという。

## ▼日本はサハリン2への参加を継続

このLNGを供給しているのは、2009年に始まった日ロ合同のエネルギープロジェクト「サハリン2」だ。

当時このプロジェクトを運営していたサハリン・エナジーにはガスプロムと西欧の大手石油会社シェルの他、日本の総合商社2社が権益を持っていた。だがロシアのウクライナ侵攻後、シェルはプロジェクトから完全に撤退した。

シェルが撤退したのは、EUや米国政府が2022年春に対ロシア経済制裁措置を発動したことから、ロシアでの事業を継続できないと判断したからだ。経済制裁のために、欧州から天然ガス採掘に必要な機械の交換部品などをロシアに送ることも禁止された。シェルがこのプロジェクトのために派遣していたエンジニアたちも、ロシアを離れた。

欧米企業にとっては、ロシアのウクライナに対する侵略戦争に抗議し、ウクライナ人との連帯を示すことが常識になっている。侵略に反対する態度を表明しないと、機関投資家や顧客から、「あの企業はロシア寄りなのか」という疑惑の目で見られて、投資してもらえなくなったり、投資を引き上げられたりする可能性がある。シェルも「ロシアとのエネルギープロジェクトに参加し続けると、世論の批判を受ける可能性がある」と考えたのだろう。今日、顧客や機関投資家たちは、企業の社会問題に対する姿勢を厳しく監視している。

日本のある経済記者は、「ロシアのウクライナ侵攻が始まった後も、日本企業は欧米企業ほど鮮明に、ロシアに対して抗議したり、ウクライナを支持したりする姿勢を見せなかった。どちらかと言えば様子見をする企業が多かった」と語った。様子見をする企業が多かったのは、欧米企業のように旗幟（きし）を鮮明にすると、ウクライナ戦争が終わった後にロシアとビジネスができなくなると懸念したためだろう。

多くの欧米企業は、ロシアに抗議する姿勢を日本企業よりもはっきりと示している。欧米では、ロシアのウクライナ侵攻にどのような姿勢を取るか、そしてロシアとの事業を継続するか否かは、コンプライアンスや企業倫理に関する大問題でもある。欧米企業は、日本企業のような、曖昧な態度は取れない。

プーチン大統領は2022年8月に、サハリン2の事業や資産を、サハリン・エナジーから新会社サハリンスカヤ・エネルギヤに移管させた。シェルはこの会社に対しても出資を拒否しているが、日本の総合商社2社は、出資を継続している。

関係者の証言によると、シェルが撤退したにもかかわらず、日本の総合商社2社がサハリン2への出資を継続している背景には、日本政府の意向がある。資源エネルギー庁は、「サハリン2は、日本のエネルギー安全保障にとって重要なプロジェクトだ」と位置付けているからだ。

その理由を資源エネルギー庁は、「日本企業がプロジェクトに権益を持っているため、長期的な天然ガスの引き取り権が確保されている。さらに、世界の天然ガス市場で価格が高騰しても、サハリン2からは、比較的安定した価格で天然ガスを調達できるからだ」と説明する。

同庁は2022年5月に公表した文書の中で、「今、日本企業がサハリン2から撤退すると、同じ価格で代替ガスを調達することは困難であり、いっそうの資源価格の増加を招く。日本が撤退した場合に、権益をロシアや第三国が取得すれば、ロシアを利することになり、経済制裁の効果は薄い」と指摘した。その上で「政府としては、サハリン2から撤退する意向はない」と断言している。

日本政府は、2022年2月以降、G7（主要7ヶ国）の一員として、ロシアのウクライナ侵攻に抗議するために同国に対する経済制裁措置に加わっている。政府は「ロシアのウクライナ侵攻は、武力によって国際秩序を変えようとする行為であり、断じて許されない」という態度を、政治の上では取っている。米国・EUと足並みを揃える姿勢だ、

だが日本政府はその一方で、サハリン2への参加継続を企業に対して求めることによって、対ロシア経済制裁措置の精神に矛盾する態度を取っている。日本政府は、「ロシアが他国を侵略したり住民を虐殺したりして、国際法に違反する行為を続けても、サハリン2から撤退すると、我が国のエネルギー供給に重大な影響が及ぶので、プロジェクトを継続する」と主張していることと同じだ。

たしかに、もしも我が国の企業がシェル同様にプロジェクトから撤退したら、ロシアは報復として日本へのLNG供給を止めるかもしれない。ロシアがドイツなど西欧諸国への天然ガス供給を停止したことを考えれば、ロシアが極東でも同じ挙に出ることは想像に難くない。

日本ガス協会の本荘武宏会長は、2022年4月25日の記者会見で、「サハリン2は天

然ガスの安定供給上きわめて重要であり、日本は権益の一定割合を保有し続けるべきだ」と語った。日本経団連の十倉雅和会長も2022年4月4日、「サハリン2からのLNGを代替する天然ガスは、簡単には調達できない。日本政府がサハリン2継続の方針を示したのは理にかなっている」と発言した。我が国では、「サハリン2撤退は論外」といったムード一色である。

つまり日本政府は、ロシアに対してかつてシュレーダー元首相、メルケル前首相が採ってきたのと同じ「政経分離主義」を続けている。ドイツはロシアがウクライナに侵攻してから政経分離主義と訣別したが、日本政府は今なお継続している。

### ▼ロシアの天然ガスを買うことは、ウクライナ侵攻を間接的に支えることに

「ロシアに対する抗議よりも、自国経済のメリットを重視する」とする日本政府のこの決定は、将来的に本当に日本にメリットをもたらすのだろうか。日本人の中には、「これ以上、電気やガス料金が高騰すると困るから、サハリン2を継続するのはやむを得ない」と考える人もいるかもしれない。

欧州の人々は、日本人以上に、ロシアのエネルギーをめぐるジレンマに苦しんでいる。その理由は、ロシアの天然ガスや原油を買うことが、プーチン大統領のウクライナ侵略戦争を間接的に支えることになるからだ。

ウクライナのヴォロドミール・ゼレンスキー大統領は２０２２年４月７日に公表したビデオメッセージの中で、「欧州人たちは、ロシアの天然ガスや原油を買うことで、ウクライナ人たちの生命を犠牲にしている。ロシアのウクライナ侵攻後、エストニアなどバルト三国は、ロシアの天然ガスと原油の購入をただちにやめた。他の国々も、ロシアのエネルギーを買うのをやめてほしい」と訴えた。

ＥＵの統計によると、ＥＵ加盟国は２０２２年２月24日にロシアがウクライナに侵攻してから同年12月末までに、ロシアの天然ガス、原油、石炭を買うために、同国に約１３５７億ユーロ（20兆３５５０億円）を支払った。ウクライナ戦争以前、２０２１年にＥＵがロシアからの天然ガス、原油、石炭の輸入のために払った金額は、ＥＵによると９９０億ユーロ（14兆８５００億円）だった。つまり２０２２年にＥＵ加盟国がロシアに払ったエネルギーの代金は、前年に比べて約37％も増えた（図表３－３参照）。ロシアが２０２２年８月31日以降、ＥＵ諸国に対する天然ガス供給を停止したにもかかわらず、支払いが増

（図表3-3）ウクライナ戦争後、EU加盟国がロシアに払ったエネルギー購入代金は、前年比で37%増

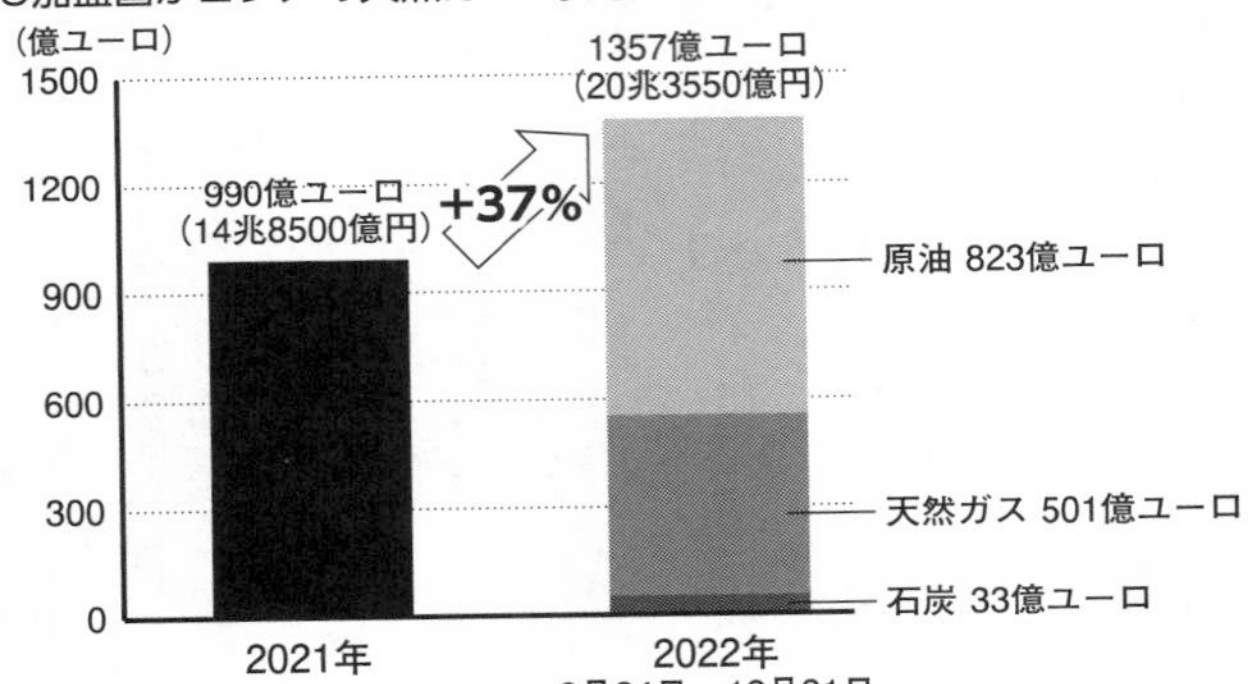


資料：https://beyond-coal.eu/russian-fossil-fuel-tracker/
https://ec.europa.eu/eurostat/en/web/products-eurostat-news/-/ddn-20220307-1

加した理由の一つは、先にも述べたように、ウクライナ戦争が始まってから天然ガス、原油、石炭の価格が一時高騰したからである。

たとえばドイツ連邦統計局によると、同国の天然ガス輸入価格指数（2015年を100とする）は、2021年8月には150・4だったが、ロシアのウクライナ侵攻開始後高騰し、2022年8月には611・1となった。4・1倍の増加である。原油と石炭の輸入価格指数も、戦争が始まってから爆発的に増えた（図表3－4参照）。

マーケットにとって、戦争は価格を大きく変動させる起爆剤だ。多くのエネルギー市場参加者は、「資源大国ロシアが戦争を始めると、欧州のエネルギー需給が逼迫する」と考

（図表3-4）戦争勃発以降、エネルギー輸入価格が高騰

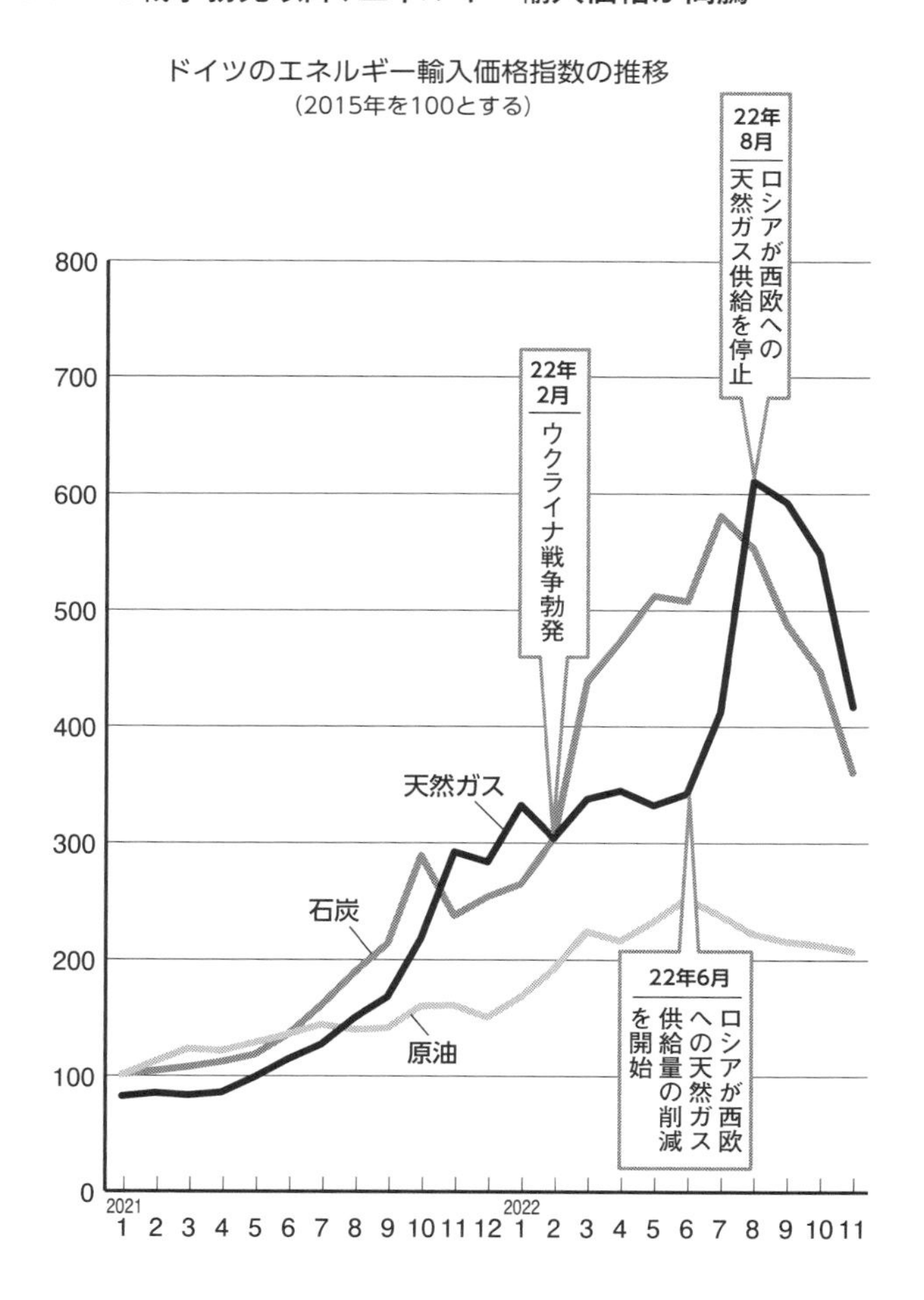


資料：ドイツ連邦統計局

える。彼らは、供給が減る前に早めにエネルギー源を仕入れようとするので、需要が急に増える。

さらにロシアは、2022年6月14日以降、海底パイプラインNS1を通じた西欧への天然ガスの輸送量を減らし始めた。このため卸売市場での価格が上昇し、販売者がマーケットを支配する売り手市場が出現した。つまりロシアは戦争を始め、天然ガス供給を減らすことで、エネルギー価格を大幅に引き上げ、少なくとも一時的に収入を増やした。戦争がロシアに、〝濡れ手に粟〟の状態をもたらした。

ドイツの経済学者たちは、ロシアのウクライナ戦争勃発後、「EUや米国の経済制裁措置や戦費の増加のために、ロシアの2022年のGDPは前年比で6～10%減る」と予想していたが、実際には約3%しか減らなかった。ロシア経済が欧米の予想に反して粘り強さを見せている背景にも、エネルギー輸出収入の増加がある。

米国の故ジョン・マケイン上院議員は、ロシアのことを「国家を装った、マフィアが経営するガソリンスタンド」と呼んだことがある。このガソリンスタンド国家は戦争を始めることで天然ガスや原油の価格を吊り上げて、大儲けした。

もちろんこの価格高騰はいわば戦争の副産物であり、主目的ではない。プーチン大統領の最大の狙いは隣国ウクライナを支配下に置くことであり、化石燃料からの収入で儲けることではない。

しかしクレムリンの政策立案者たちが、「戦争が始まれば化石燃料の価格が高騰し、我が国の経済を支える」と判断したことは想像に難くない。

## 「欧州人は、毎日約10億ドルをプーチン大統領に払っている」

EU加盟国の中で、ロシアに最も多く金を払ったのがドイツだ。2019年にドイツはロシアの天然ガス、原油、石炭を買うために241億1600万ユーロ（3兆6174億円）も払った。

ロシアは、ウクライナで非人道的な行為を繰り返している。この国は軍事目標だけではなく、民間人にも多大な被害を与えている。

2022年3月16日、ウクライナ南部のマリウポリで、約1200人の市民が避難していた劇場をロシア軍が爆撃した。劇場の職員は、ロシア空軍のパイロットが空から見えるように、劇場の前と後ろにロシア語で「子ども」という字を書いた。子どもたちが避難しているから爆撃をするなというメッセージだ。それにもかかわらず劇場には爆弾（またはミサイル）が命中し、建物は倒壊した。死者数は公式に発表されていないが、ウクライナ側は300人から600人が死亡したと推定している。

2022年4月8日には、ウクライナ東部のクラマトルスク駅をミサイルで攻撃し、この地域から避難するために電車を待っていた市民60人が死亡した。そのうち7人が子どもだった。地面には、血に染まった人形やトランクが散乱していた。110人が重軽傷を負った。ロシアは攻撃の事実を否定し、「ウクライナ軍のミサイルだ」と主張している。

2022年4月には、ロシア軍が一時占領し、ウクライナ軍が奪回したキーウ近郊のブチャという村で、約400人の市民が殺害されているのが見つかった。後ろ手に縛られて頭を撃ち抜かれた遺体、拷問の痕がある遺体もあった。証拠を隠滅するために、燃料をかけられて焼かれた遺体もあった。

2023年3月17日にオランダにある国際刑事裁判所は、ロシア政府が占領したウクライナの地域からウクライナ人の子どもたちを強制的にロシアへ移送していることを理由に、プーチン大統領に対して逮捕命令を出した。

国連人権高等弁務官事務所（OHCHR）によると、ロシアがウクライナ侵攻を開始した２０２２年２月24日から２０２３年５月７日までに、ウクライナ市民８７９１人が死亡し、１万４８１５人が負傷した。しかしＯＨＣＨＲは、「戦闘が続いているため、まだ全ての地域からの情報が集まっていない。このため、実際の死傷者数はこれらの数字よりもはるかに多いと思われる」と発表している。

民間人の虐殺、団地に対する砲爆撃や、子どもの強制移送は国際法に違反する行為だ。またロシアは、ウクライナの発電所や変電所などエネルギー関連施設もミサイルや砲弾で攻撃した。市民たちが真冬でも暖房や調理のためのガスや電気を使えないようにするためだ。市民生活に欠かせないエネルギー関連設備を狙って破壊することも、国際法違反だ。

ドイツのアンナレーナ・ベアボック外務大臣は、「この攻撃は戦争犯罪だ。プーチン大統領らロシア政府の指導者を裁くための、特別戦争犯罪法廷を設置するべきだ」と主張した。ベアボック外務大臣は、「ロシアは自らの判断で文明世界を去った」とまで言った。これは通常ドイツでは、約６００万人のユダヤ人を虐殺したナチス・ドイツについて使われる表現である。

ロシア軍がミサイルなどの兵器、戦車、装甲車、ヘリコプターのための燃料や弾薬を購入するための資金も、間接的に同国が外国に売る化石燃料からの収入でまかなわれている。

私のように欧州に住む市民は、不本意ながら、ロシアからの化石燃料の供給が止まるまでは、ガス暖房のスイッチを入れたり、車のガソリンを補給したりすることで、ロシアのウクライナ戦争を間接的に支えてきた。

2022年4月28日に、ポーランド・ワルシャワ市のラファル・ツラスコフスキー市長は、欧州議会の公聴会で「ウクライナはロシアと戦って、自由や人権など欧州の普遍的価値を守っている。その一方で、我々欧州人はロシアから天然ガス、原油、石炭を買うことで、毎日約10億ドルをプーチン大統領に払っている」と述べ、他の欧州の約300の都市の市長たちとともに、EU加盟国政府に対して、ただちにロシアの化石燃料の輸入をやめるよう要求した。彼はロシアからの化石燃料への依存から脱却するためにも、エネルギー効率の改善や再エネの拡大を加速するべきだと主張した。

ツラスコフスキー市長の主張はもっともであり、私も良心の呵責を覚えた。私が住んでいるミュンヘンのアパートはガス暖房ではなく、温水を使った地域暖房である。当時パイプでアパートに温水を送ってくるミュンヘンの地域エネルギー企業SWMは、ノルウェーだけではなくロシアからの天然ガスも使って、水を温めていた。つまりロシアが西欧への天然ガス輸送を止めた2022年8月31日以前には、私も間接的にロシアからの天然ガスを使っていた。自分の払う金が、市民を無差別に殺害する国を支える資金の一部になっていた。そう考えると、やりきれない気持ちになった。

## ロシアからの天然ガス禁輸を発表したドイツ

ウクライナ政府は、ドイツなど西欧諸国に対して、ロシアからのエネルギーの即時輸入停止を求めた。しかしドイツ政府は、すぐにはこの要求に応じなかった。同国のロベルト・ハーベック経済気候保護大臣は、２０２２年3月10日に「ロシアからの天然ガスと原油の輸入をただちにやめた場合、ドイツ経済が受ける損害は甚大なものになる」と述べた。化学メーカー、鉄鋼業界などドイツの物づくり業界がロシアの天然ガスや原油に大きく依存しているため、ただちに輸入を停止すると、自国経済がコロナ・パンデミックを上回る打撃を受けるというのだ。

読者の中には、「ドイツも自国の経済を守るために、ロシアのウクライナ侵攻にもかかわらず、天然ガスの輸入をただちに停止しなかったではないか。日本政府がサハリン２の継続を決めたのと同じだ」と主張される方もいるだろう。

(図表3-5)ドイツ政府が公表したロシアの化石燃料の禁輸スケジュール

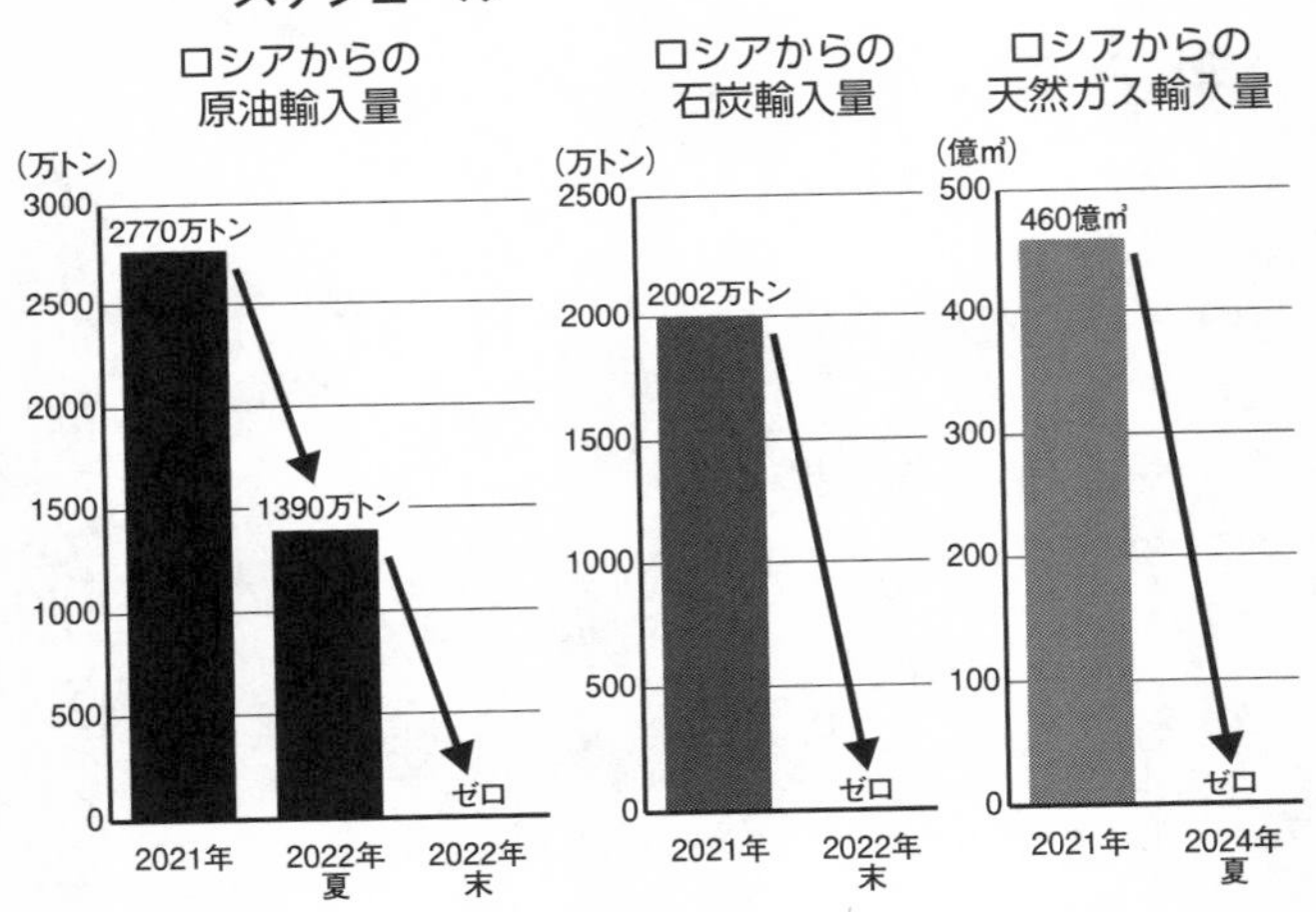


2022年3月26日にショルツ政権が公表した、ロシアからの化石燃料輸入量の削減計画
(実際には、ドイツのロシア産天然ガスの輸入量は、2022年8月31日以降ゼロになった)

出所:ドイツ連邦経済気候保護省

しかし日独の対応には、決定的な違いもある。ハーベック大臣は、2022年3月26日に「ロシアからの天然ガスの輸入量を2024年夏までに、ゼロにする」という計画を発表したのだ。つまり天然ガス輸入をただちにやめることは、自国産業に大きな打撃を与えるので不可能だが、2年後には禁輸に踏み切るというスケジュールを公表した。

この後、ドイツはロシアの天然ガスを代替するための努力を、ただちに始めた。ドイツはロシアのパイプラインを通じた天然ガスに大きく依存していたため、ウクライナ戦争が勃発するまで、ＬＮＧの陸揚げ設備を一つも持っていなかった。だが、先述したように、ショルツ政権は２０２２年2月24日以降、固定式のＬＮＧ陸揚げターミナル３ヶ所の建設と、６隻のＦＳＲＵ（浮体式ＬＮＧ貯蔵再ガス化設備）の設置に取りかかった。政府は、これらの設備の建設に98億ユーロ（1兆４７００億円）を投じる。

同年12月には最初のＦＳＲＵが接岸されて、ＬＮＧを供給し始めた。またドイツ政府はカタールや米国などから、ＬＮＧを輸入するための交渉を始めた。

ＬＮＧの価格は、ドイツがウクライナ戦争の勃発前にロシアからパイプラインで輸入していた天然ガスの価格の少なくとも2倍になると推定される。つまりドイツ政府は、多額の費用をかけて、ロシアからの化石燃料を他国からの輸入によって代替しようとしている。

ＥＵも２０２２年3月11日に、「今年末までにロシアからの輸入天然ガスの量を３分の２減らし、２０２７年にはゼロにする」という方針を打ち出した。

またハーベック大臣は２０２２年3月に「ロシアからの原油と石炭の輸入も、２０２２年末までに停止する」と発表し、実行した（図表３－５参照）。つまりドイツは、ロシアのウクライナ侵攻が始まってから約１ヶ月後に、ロシアからの化石燃料の輸入を停止するスケジュールを公表した。これに対し、日本政府は本稿を執筆している2023年6月の時点でも、いつロシアの天然ガス、原油、石炭の輸入を停止するのかを明らかにしていない。これは、大きな違いである。

ちなみにロシア政府は、ドイツやEUが禁輸を始める前に先手を打ち、2022年8月31日にドイツなど西欧諸国への天然ガスの供給を停止した。この日以降、ドイツのロシア産天然ガスの輸入量はゼロになっている。

## ▼旗幟を鮮明にすることは、欧州ではコンプライアンスの一部

ロシアのウクライナ侵攻は、第二次世界大戦以来、欧州で最悪の侵略戦争である。日本では「戦争反対」という言葉はよく聞く。しかし欧米で重要なのは、単に戦争に反対することではない。重要なのは、ロシアのウクライナ侵攻を糾弾し、ウクライナに対し連帯感を示すことだ。

日本では時折「ウクライナもいい加減に譲歩して、停戦交渉のテーブルにつくべきだ」という意見を聞く。特にビジネスパーソンの間で「戦争は、景気に悪影響を与えるので、

一刻も早く終わってほしい」と望む気持ちが強いことは理解できる。だが欧州では、この戦争について、中立という立場を示している市民は少数派だ。大半の市民はロシアを糾弾し、ウクライナを支援している。

仮に、ロシアがウクライナの一部を占領した状態のまま、ローマ教皇や中国のような第三者がウクライナの頭ごしにロシアと交渉し、ゼレンスキー政権に停戦を強制したとする。万一ロシアがドンバス地域を占領したまま、停戦が実現した場合、国際社会は、ロシアが武力によって隣国の土地を占領したことを是認することになる。その場合、他の国も「侵略によって隣国の領土を占領することは、許されるのだ」と考えるかもしれない。

もう一つの懸念は、ウクライナ戦争が欧州大戦に拡大することだ。もしもロシアがゼレンスキー政権を転覆させて全土を支配した場合、ロシアは次の矛先をポーランドやバルト三国に向けるかもしれない。ある意味でウクライナは多大な犠牲を払いながら、戦火がＮＡＴＯ加盟国に広がることを防いでいる。欧米諸国がウクライナに対して、経済支援、人道支援、兵器など１５５９億ユーロ（23兆３８５０億円、２０２３年2月の時点、キール世界経済研究所調べ）を供与しているのは、そのためだ。

アメリカのエール大学経営学部は、ロシアがウクライナ侵攻を始めて以降、世界の主要企業がロシアとの事業を続けているかどうかを調査し、インターネット上に調査結果を公表している。このリストによると、2023年4月1日の時点で、1000社を超える企業がロシアから撤退したり、ロシアとの事業を停止または減らしたりしているが、234社が通常通りの事業を続けている。事業を通常通りに続けている企業の中では、中国企業が最も多い。中国企業は事業を続けることで、ロシアを間接的に支援している。中国企業ほど多くはないが、ロシアとの事業を続けている企業のリストには、いくつか日本企業の名前も載っている。

日本政府や企業はロシアとの取引関係を断絶せずに「全方位外交」を続けて、嵐が通過するのを待っている。LNG輸入をやめると、自国経済に不都合が生じるというのがその理由だ。

だが今やロシアのウクライナ侵略戦争により、国際政治の流れは大きく変わり、1980年代の東西冷戦のような時代に向かいつつある。座標軸が変わった時代に、ロシアとエネルギー事業を続けることは、長期的に見ると日本の安全保障に悪影響を及ぼす可能性は十分にある。

め上げてもいる。

## ロシア政府が突如行った、西側企業への対抗策

実際、ロシア政府は、いやがらせとも言える様々なやり口で、エネルギー企業の首を締

２０２３年1月18日には、プーチン大統領が新たな政令を発布し、ロシアの合弁企業に参加している一部の西側企業の議決権を無効化した。この政令は、エネルギー、機械製造、貿易に携わる合弁企業に適用されるが、西側企業を露骨に差別する内容だ。

政令によると、ロシアに経済制裁を科している「非友好国」の企業が合弁企業に持つ比率が50％を超え、合弁企業の２０２２年の売上高が１０００億ルーブル（１６８０億円・1ルーブル＝1・68円換算）を上回っている場合、その合弁企業は、ロシアの株主の議決権だけで企業の運営などに関する決定を行うことができる。

サハリン2を引き継いだ新合弁企業サハリンスカヤ・エネルギヤに、日本の総合商社2社が出資している比率は、合計22・5％だ。比率が50％に達していないので、「株主議決権の無効化」に関する政令は、この合弁企業には適用されないものと思われる。

だがプーチン政権の振る舞いはしばしば恣意的であり、朝令暮改は日常茶飯事だ。たとえば2022年3月23日にプーチン政権は突然「西側企業は天然ガス代金をルーブルで支払うこと」と義務付けた。西側企業との契約書には代金の支払いはユーロかドルで行うと明記されており、ロシアの決定は契約違反だ。そのためドイツ政府などはロシアに猛烈に抗議した。そこでプーチン政権は、その8日後には「ガスプロムがルクセンブルクに所有する銀行に口座を作り、そこにドルかユーロで支払えばよい」と改めた。

ドイツ最大の天然ガス輸入企業ユニパーは、ロシアの言う通りガスプロム銀行に口座を開設し、ユーロで代金を払い込んだ。しかし結局、ロシアはその5ヶ月後に西欧向けの天然ガス供給を停止した。その結果、ユニパーは倒産の瀬戸際に追い込まれ、ドイツ政府に国有化された。ロシア政府の朝令暮改に振り回されただけで、最後は突き放されたのだ。

この例に表れているように、ロシアが今後どのような新政令を発布するかは未知数だ。ロシアは「非友好国」に対して、今後も恣意的かつ強硬な態度を取ると考えるべきだろう。日本政府は、欧米とともにロシアに対する経済制裁措置を実行している、「非友好国」だ。そうした国を、プーチン大統領がいつまでも大目に見てくれるという保証はない。

ドイツは2022年まで、ロシアの国際法違反や人権侵害にもかかわらず厳しい経済制裁措置を発動せずに、ロシアのエネルギーを買い続けてきた。その結果、2022年の天然ガス途絶により、梯子を外された。同国はLNG陸揚げターミナル3ヶ所の建設、浮体式LNG貯蔵再ガス化設備（FSRU）6隻の調達・設置、市民や企業のガス・電気・地域暖房料金負担を減らすための多額の補助金、大手エネルギー企業救済のための国有化など、何兆円もの資金を投じた泥縄式の対応を迫られた。

ドイツ政府はレーデンの天然ガス地下貯蔵設備を所有していたガスプロムの子会社も、約3兆6156億円を投じて国有化し、取り戻した。今ドイツ人たちは、過去の政権がロシアに対する宥和主義、政経分離主義を取ってきたことについて、多額のツケを払わされている。

エネルギー・アナリスト岩瀬昇氏は、「週刊東洋経済」2023年2月18日号に寄稿し「(サハリン2からの) シェルの撤退に伴い、現地へ出向していたエンジニアは引き揚げてしまった。禁輸制裁により欧米から新たな部品・技術ノウハウの輸入はできない。通常の操業を続けられるとしても、部品の交換が必要な時期が来るのは必定だ」と指摘。

その上で岩瀬氏は、「それまでの期間に想定外のトラブルが発生した場合、これまではシェルの支援が期待できたが、今後はロシア勢だけで立ち向かわなければならない。これは大きな不安材料だ」「日本は権益問題をめぐってはこれまで通り最大限のリターンを得るべく交渉を続けるべきだろう。他方でサハリン２からのＬＮＧ供給は『早晩止まる』との前提で、新たな調達先を獲得するなどの対策を早急に立てる必要がある」と警告している。日本政府と経済界は、岩瀬氏の言葉をどう受け止めるのだろうか。

## ▼日本が原油の92・7％を依存する中東の政情リスク

日本とロシアのエネルギーを通じた関係は意外に深く、日本はＬＮＧ輸入量の約９％、石炭の約11％、原油の約４％をロシアから輸入していることは先述した。

しかし、日本にとって一番のエネルギー供給先は、ご存じの通り原油の輸入元である中東だ。ドイツとロシアの関係よりはるかに深く、まさに中東は日本のエネルギー供給のアキレス腱と言える。

ここに５枚のグラフを掲げる。図表３－６は、２０２０年のドイツの天然ガスの輸入先の分布。英国の石油会社ｂｐの統計から計算した。国ごとの分布がわかっている直近の年の数字だ。ｂｐは残念ながら最新版である２０２１年の統計では、天然ガスの輸入先につ

(図表3-6)ドイツの 2020 年のガスの輸入先の分布

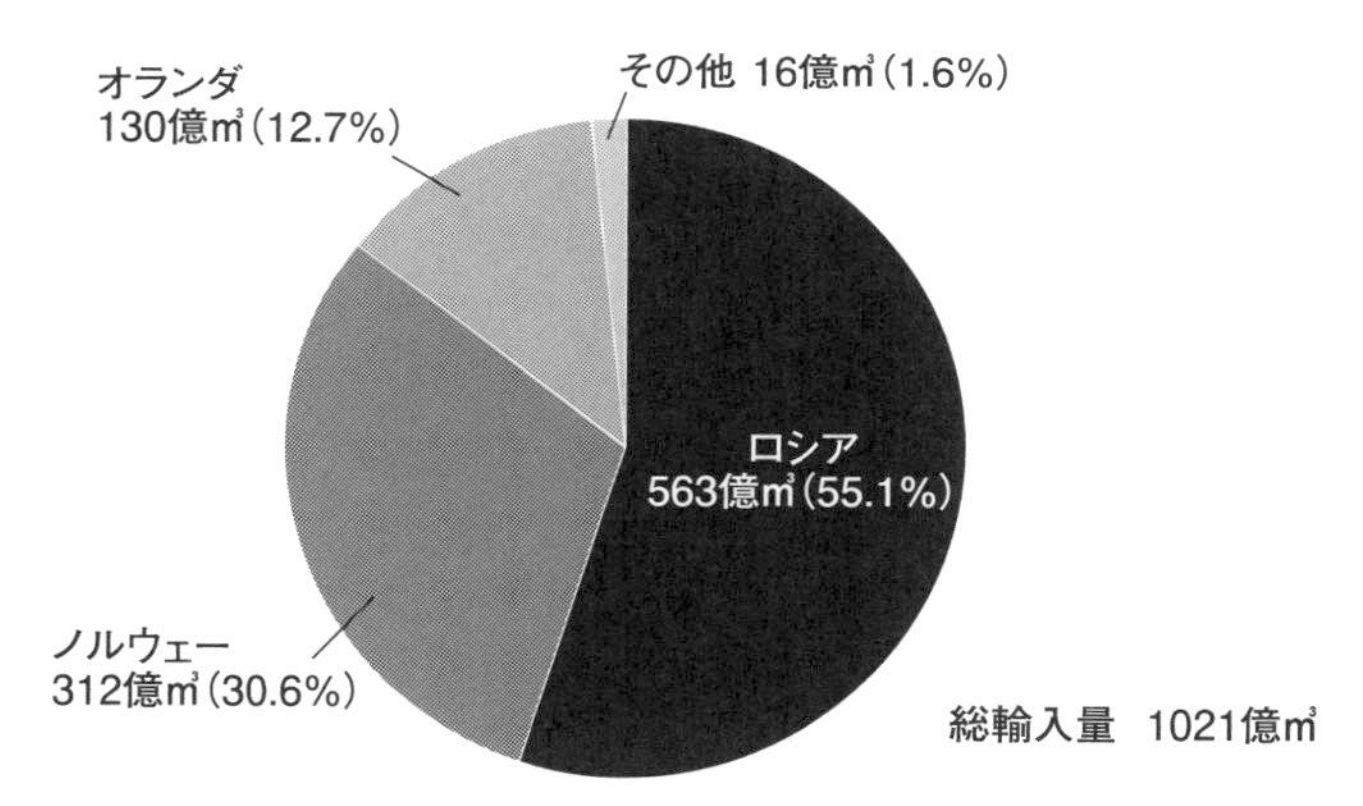


出所:bp Statistical Review of World Energy 2021(世界エネルギー統計)

(図表3-7)日本の 2021 年の原油の輸入先の分布

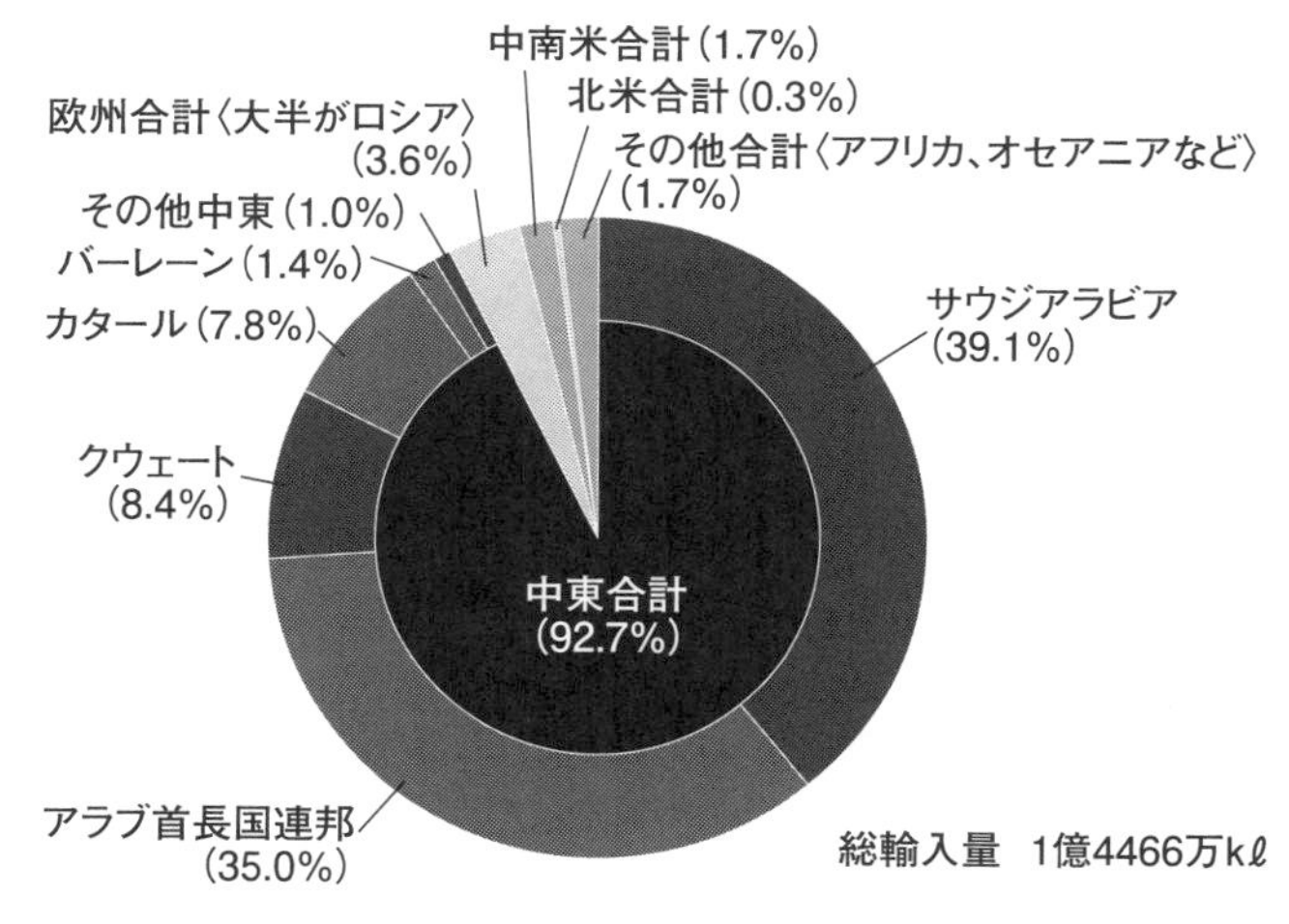


出所:資源エネルギー庁 令和3年資源・エネルギー統計年報

## (図表3-8) 日本の2020年度(直近)のLNG(液化天然ガス)の輸入先の分布

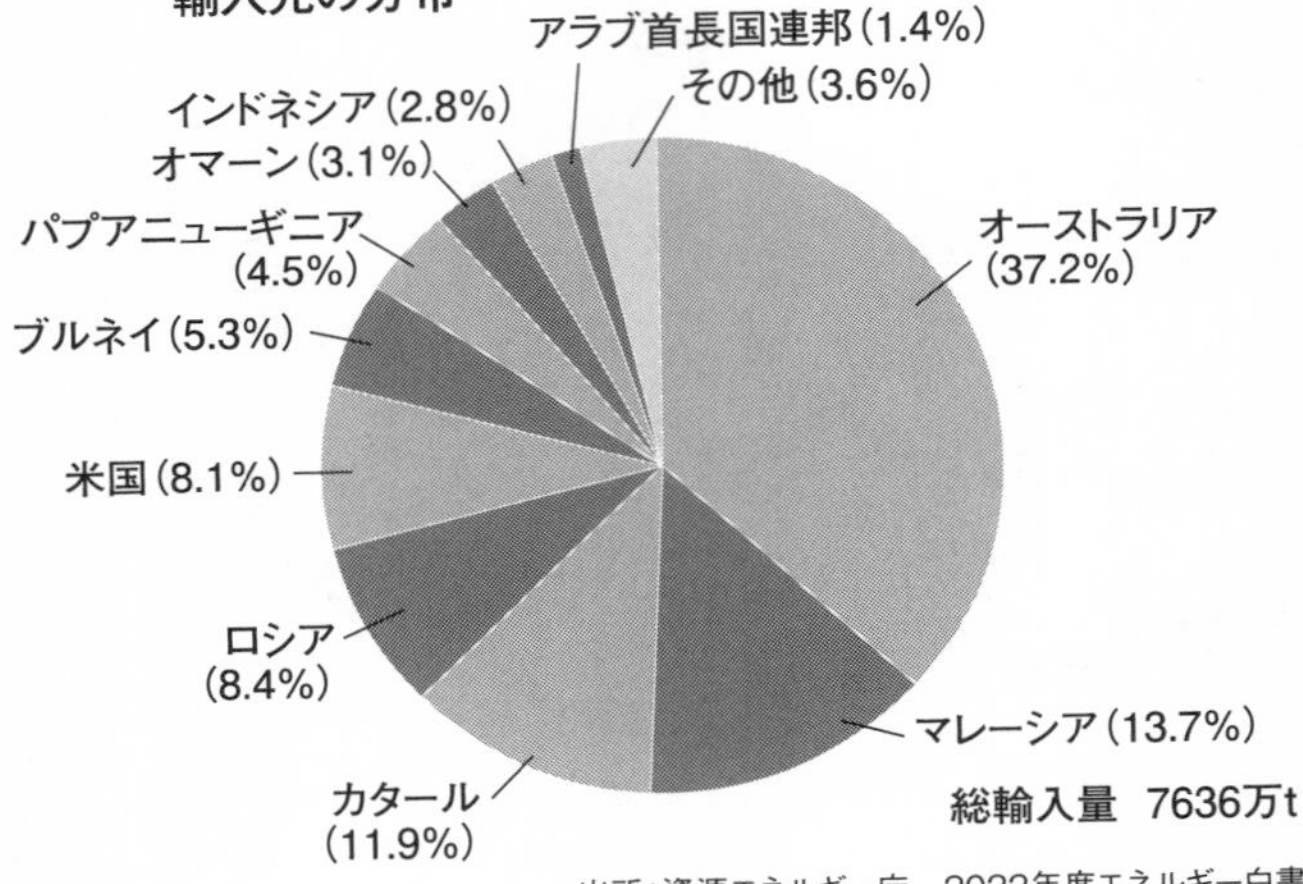


出所:資源エネルギー庁　2022年度エネルギー白書

## (図表3-9) 日本の2020年度(直近)の石炭(一般炭)の輸入先の分布

※主に発電用

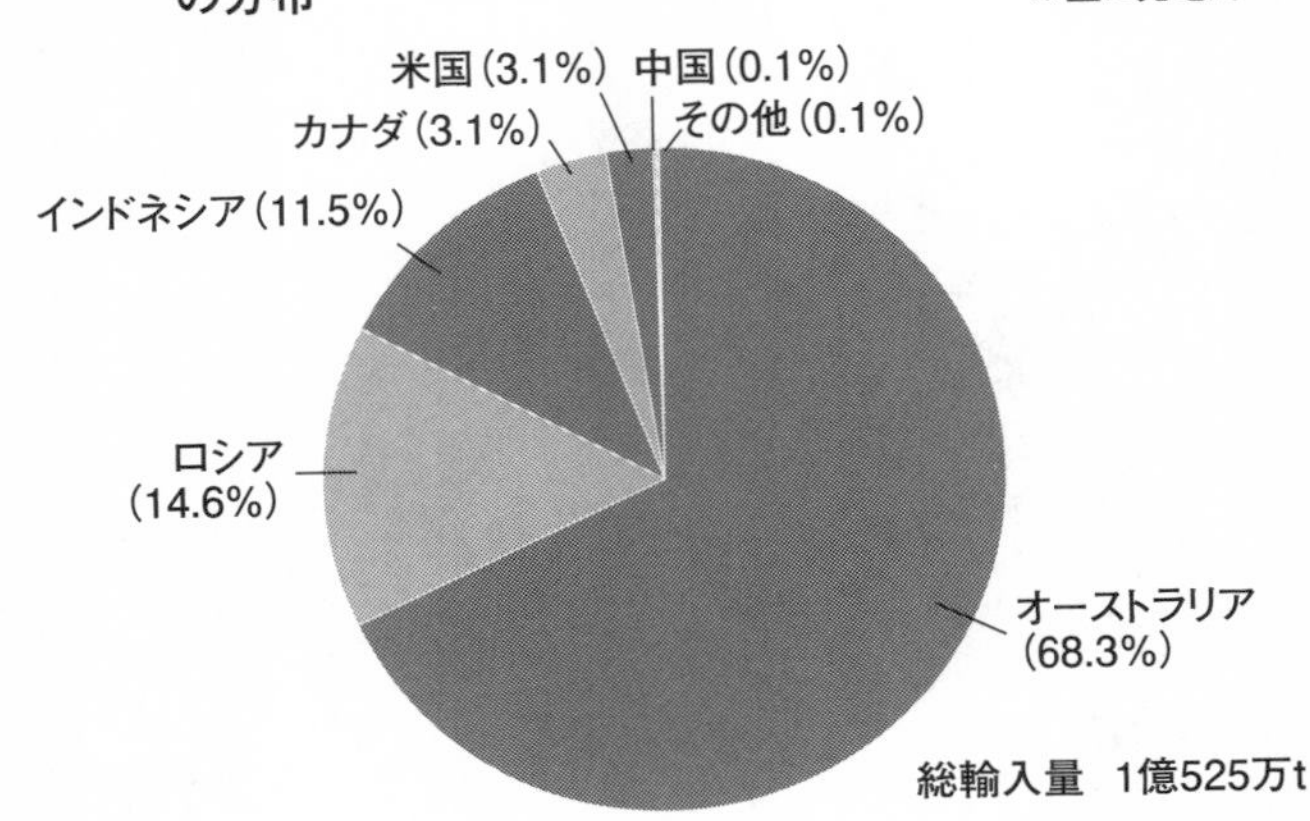


出所:資源エネルギー庁　2022年度エネルギー白書

(図表3-10) 日本の2020年度(直近)の石炭(原料炭)の輸入先の分布

※主に製鉄用

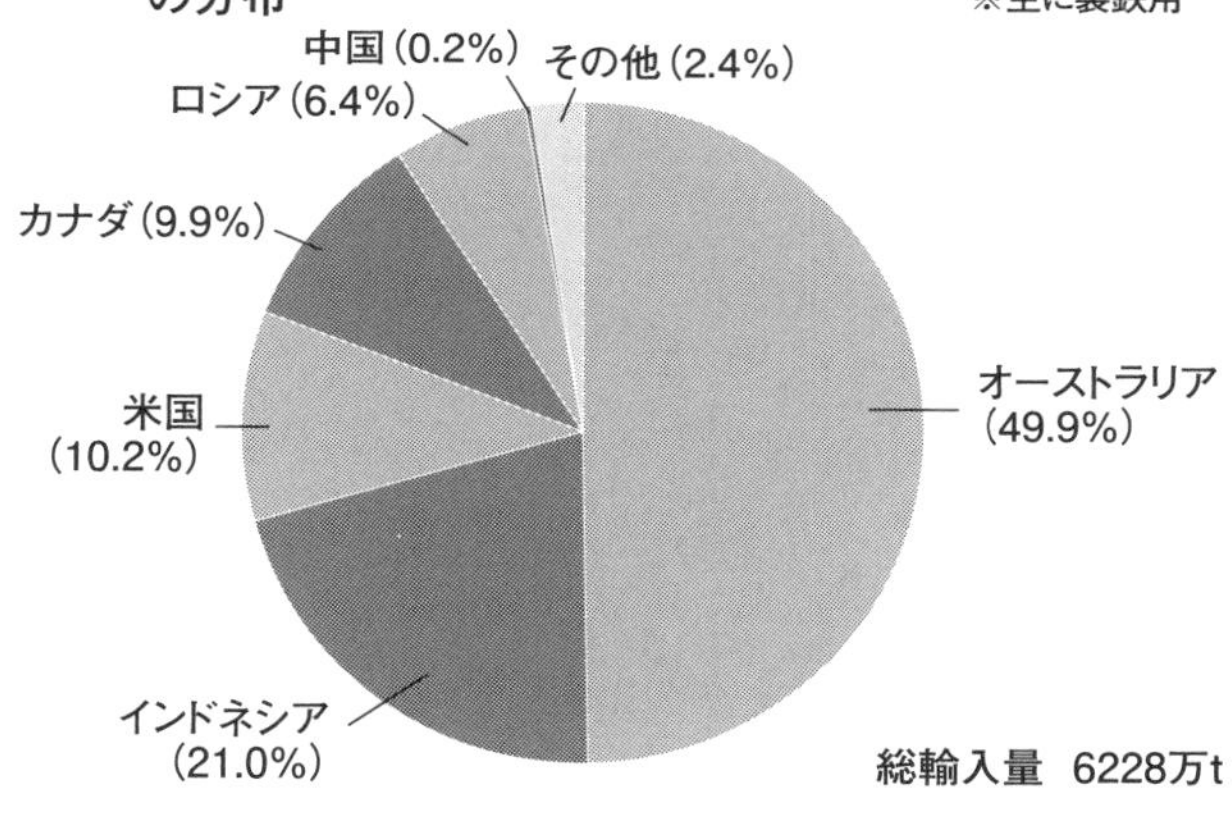


出所：資源エネルギー庁　2022年度エネルギー白書

いて国ごとの分布を公表していない。図表3－7から図表3－10は、日本の原油（2021年）、LNG（2020年）、石炭（2020年）の輸入先の分布だ。

日本のLNGの輸入先は、ウクライナ戦争前のドイツの天然ガスの輸入先に比べると、適度に分散されている。最も比率が高いオーストラリアでも、37・2％。石炭（一般炭）のオーストラリアからの輸入比率が68・3％と高いが、同国は政治的に安定しており、日本との友好関係が急激に悪化する可能性は低い。

問題は原油だ。2021年には、サウジアラビアなど中東の国からの輸入比率が92・7％に達していた。これは、ドイツが202

0年に輸入天然ガスの55・1%、2021年に59・5%をロシアに依存していた以上の関係だ。現在日本と中東諸国との関係は良好だが、過去の歴史を見ると、中東は決して政治的に安定した地域とは言えない。

現在サウジアラビアとイスラエルの間の関係は比較的良好だが、1970年代にはイスラエルは中東の火種であり、イスラエルをめぐるアラブ諸国と欧米諸国の対立は、第一次石油危機につながった。

つい最近まで大きな火種だったのが、サウジアラビアとイランの関係だ。2023年には、中国の仲介でサウジアラビアとイランが外交関係の復活を宣言し、世界を驚かせた。だがそれまでの7年間にわたり、シーア派が主流のイランと、スンニ派が主流のサウジアラビアの間の関係は、険悪化していた。2016年にサウジアラビア政府がシーア派の聖職者を、テロ活動への関与を理由に処刑したことがきっかけとなって、テヘランで暴動が起き、サウジアラビア大使館にイラン人の群衆が侵入して器物を損壊した。この事件をきっかけにサウジアラビアは、イランとの外交関係を断絶した。

両国の対立は、中東の他の地域にも拡大した。2014年から続いているイエメン内戦では、イランが反政府勢力であるフーシ派民兵を支援し、サウジアラビアやアラブ首長国連邦（ＵＡＥ）、カタールなど10ヶ国が政府軍を支援した。イランとサウジアラビアなどが第三国で間接的に戦う、代理戦争となった。国連は、この内戦で約15万人が犠牲になった他、約23万人が飢餓などのために死亡したと推定している。

火の粉は、イエメン以外の地域にも飛び火した。２０１９年には、サウジアラビアの石油精製施設が、フーシの無人機とミサイルによって攻撃され、甚大な損害を受けた。またサウジアラビアのアブハ国際空港がフーシのミサイル攻撃を受けて市民１人が死亡し、47人が重軽傷を負った。この空港は２０２２年にも、無人機による攻撃を受け、民間人ら12人が負傷した。

フーシはこれらの攻撃を実行したことを認めており、「将来もサウジアラビアに対する攻撃を続ける」という声明を発表した。

サウジアラビアや米国は、これらの攻撃で使われた無人機とミサイルはイラン製であると断定した。２０１９年9月23日にドイツのメルケル首相（当時）やフランスのエマニュエル・マクロン大統領らは「サウジアラビアの石油精製施設に対する攻撃の背後にイランがいることには、疑いがない」として、同国を厳しく批判する声明を発表している。

フーシは原子力発電所をも狙った。ＵＡＥは、アラブ世界で最初に原子力発電所を稼働させた国である。4基の原子炉のうち、1号機が2021年に、2号機が2022年に運転を開始した。この原発が建設されていた2017年12月に、フーシは、「UAEで建設中のバラカ原子力発電所の建設現場にミサイルを撃ち込んだ」と発表した。UAE側は「そうした事実はない」と否定している。

UAEの原子力規制局は、「我が国の原子炉は物理的に強固な防護体制を持っている」と説明している。だが建設中の施設とはいえ、フーシとイランが原発の攻撃を企てていたことは、疑いようのない事実だ。つまりイエメン内戦は、日本に化石燃料を供給する重要な貿易相手国に、黒い影を投げかけた。

## ▼アメリカの影響力低下がもたらす不安定要因

中国の仲介によってサウジアラビアとイランの関係が改善される兆しを見せている。しかし、イランが中東の不安定要因であることに変わりはない。21世紀にサウジアラビアやアラブ首長国連邦が、かつての敵国イスラエルとの関係を改善したのは、共通の敵イランに対抗するためだった。「敵の敵は味方」というわけだ。イスラエルとイランの間でも、ときおり小競り合いが起きている。

２０２３年2月10日には、イランの革命防衛隊が自爆ドローンなどを使って、イスラエル船籍の船を攻撃した。

特に大きな地政学的リスクが、イランの核開発だ。イランは１９８０年代から、地下につくった施設などで、ウランの濃縮を行ってきた。同国は原子力の平和利用のためと主張しているが、欧米諸国やイスラエルは「イランは中東での影響力を増すために、ひそかに核兵器を開発している」と考えている。

イスラエル政府は公に認めないが、同国はすでに核兵器を保有している。これが小国イスラエルにとっては、身を守るための抑止力となっている。イスラエルを不倶戴天(ふぐたいてん)の敵と見なすイラン政府は、イスラエルに対抗するには、核兵器の保有が不可欠と考えている。

イランは弾道ミサイルを保有しているので、核兵器の開発に成功した場合、イスラエルに対する核攻撃を考えるかもしれない。つまりイランの核保有は、中東のバランス・オブ・パワーを崩す可能性がある。

このため欧米諸国は、イランに厳しい経済制裁措置によって圧力をかけ、核兵器開発をやめさせようとした。イラン政府も一時欧米に歩み寄った。米英仏など5ヶ国とEUは

2015年に、イランとの間で核開発を遅らせることや、核関連の経済制裁の撤廃などを含む合意書に調印した。だが2018年に米国のドナルド・トランプ大統領（当時）が「（合意内容は、核兵器開発を止めるのに）不十分な内容だ」として一方的に合意から撤退した。

米軍が2020年にイラン革命防衛隊の司令官を無人機で攻撃して殺害してからは、イランは一段と態度を硬化させて「核合意に縛られない」という姿勢を打ち出した。2015年の核合意は事実上なきものとされた、ということだ。

懸念すべき兆候がある。2023年2月20日に国連の国際原子力機関（IAEA）は、「イランでの査察の結果、同国がウランを84％にまで濃縮したことを示す痕跡が見つかった」と発表した。イラン側は否定している。ウラニウム235の濃縮度が90％を超えると、核爆弾の材料として使うことが可能になる。

つまりイランは、核兵器の保有まであと一歩という段階にある。イランが万一核兵器の開発に成功し、核弾頭を搭載した弾道ミサイルでイスラエルなどを脅迫し始めた場合、中東の緊張は一気に高まる。イランの核武装に刺激されて、他の中東諸国も核兵器の保有に走るかもしれない。

欧米は、中東の緊張緩和に失敗した。米国は自国内で原油を調達できるようになったため、中東から原油を輸入する必要がなくなり、この地域の和平について関心を失った。サウジアラビアが中国の仲介でイランと7年ぶりに外交関係を復活させたのは、米国のイニシャチブを期待できなくなったために、「仇敵」に歩み寄ったものと解釈できる。かつての超大国・米国の影響力の低下をはっきりと示している。

## 中東にも「ブラック・スワン」が舞い降りる？

これらの事例からわかるように、中東は政治的に安定した地域ではない。我々はその地域に、原油の90％以上を依存している

将来中東での局地紛争がエスカレートした場合、アジアや欧州へ原油を運ぶタンカーの航行に支障が生じる危険性は十分にある。

戦争が起きなくても、中東諸国は我々の意表を突く動きに出ることがある。サウジアラビアなどＯＰＥＣプラスに加盟する国々は、２０２３年4月3日に、原油生産量を1日あたり１１６万バレル減らすと発表した。これは世界の1日の原油需要量の３・７％に相当

する。このうちサウジアラビアは1日あたり50万バレル、UAEは1日あたり14万4000バレル、クウェートは12万8000バレルの減産を発表した。OPECプラス加盟国は減産の理由を、「原油市場の安定性を確保するため」と説明している。

ロシアのウクライナ侵攻後、1バレルあたりの原油価格は2022年6月に一時110ドルを超えていたが、2023年3月には一時70ドルを割っていた。サウジアラビアなどは、自国の財政状態を改善するために、原油価格の値崩れに歯止めをかけようとしたのだ。この突然の減産劇も、ほぼ化石燃料だけに頼る中東経済の不安定さ、予測の難しさを物語っている。

ドイツのロシア政策の失敗は、一つの国や地域にエネルギー輸入量の50%以上を依存することの危険性をはっきりと示した。「中東諸国は、日本に対して友好的だから、心配する必要はない。これまで安定的に原油を供給してくれた」と言う人もいるかもしれない。だがロシアのウクライナ侵攻が示すように、現在我々は、過去における地政学の常識が通用しない時代に生きている。

ある事象が「過去に起きなかった」という理由だけで、将来も起きないと判断することは危険だ。かつてソ連という国の一員だったウクライナをロシアが侵略して、女性、子ども、お年寄りを無差別に殺害すると予想していた人は、2022年2月までほとんどいなかった。

ある日本のロシア専門家が、2022年2月のウクライナ侵攻直前に、日本のオンライン・メディアとのインタビューの中で、「プーチン大統領がウクライナ侵攻のような、費用対効果が悪い政策を取るとは考えにくい」と述べていたのを覚えている。

ロシアについて豊富な知識を持っているはずのアナリストですら、今日の事態を予想できなかった。その事態が現実化し、収束の糸口も見えないまま、1年以上続いている。

今日の世界は、過去の尺度では測れない出来事が起きる。各国の指導者たちは、濃い霧の中で「海図なき航海」を強いられている。ウクライナ戦争が欧州大戦に拡大するシナリオ、中東でイランが核保有国になるシナリオもあり得ないことではない。

したがって今日の世界では、市民も企業もブラック・スワンの出現を織り込んで生活したり活動したりする必要がある。これからも、想像だにできなかった事態が現実化するだろう。私は2022年2月24日以降、欧州が激変したのを見て、こうした感情に強くとらわれている。

## ▼エネルギー自給率の早急な改善を

「はじめに」でも触れたが、国際エネルギー機関（IEA）のデータバンクで、日本のエネルギー自給率を調べて、驚いた。2020年の日本のエネルギー自給率は、わずか11％。この自給率は、米国（106％）の約10分の1にすぎない。G7（主要7ヶ国）の中で最も低い。

ドイツはこれまでロシアからの化石燃料に大きく依存していたため、EUの中では自給率が低い部類に属している。ドイツはエネルギーの35％しか自給できていないが、日本の自給率はさらに低く、ドイツの約3分の1にとどまっている。今日のようなエネルギー危機の時代に自給率が低いことは、世界有数の物づくり大国・日本とドイツにとって、深刻な問題だ。

自給率の低さは、間接的に我々の懐具合を直撃する。エネルギーの輸入比率が高いと、様々な要因のために貿易赤字が増える。たとえば、円のドルやユーロに対する交換レートが下がり、円安になった場合、日本が同じ商品を輸入するために、円で支払う費用が高くなる。

財務省の貿易統計によると、日本は21世紀に入ってからも、最初の10年間は毎年着実に貿易黒字を生み出していた。２００４年には黒字が約12兆円に達した。日本は世界の多くの国がうらやむ貿易黒字国だった。

だが２０１１年以降、潮目が変わった。近年は貿易赤字が増える傾向にある。２０１１年から２０２２年までの12年間に、日本が貿易黒字を記録したのは２０１６年、２０１７年、２０２０年の３回だけ。他の９年の貿易収支は、赤字だった。

財務省の２０２３年４月23日の発表によると、２０２２年度の日本の貿易赤字（速報値）は、約21兆７２８５億円と過去最大（図表３－11参照）。残念なことに、「貿易黒字大国・日本」という名声は過去のものになった。

２０２２年の日本の貿易赤字は、前年（５兆５８６６億円）に比べて約３・９倍に増えた。大きな原因の一つは、戦争の影響で日本が輸入する天然ガスや原油などの化石燃料の価格が高騰したことだ。

たとえば２０２２年度のＬＮＧの輸入量は前年比で１・３％減ったにもかかわらず、価格高騰により、輸入金額は２・４倍に増えた。石油など全ての化石燃料の輸入金額は、前

（図表3-11）2022年の日本の貿易赤字は過去最大になった

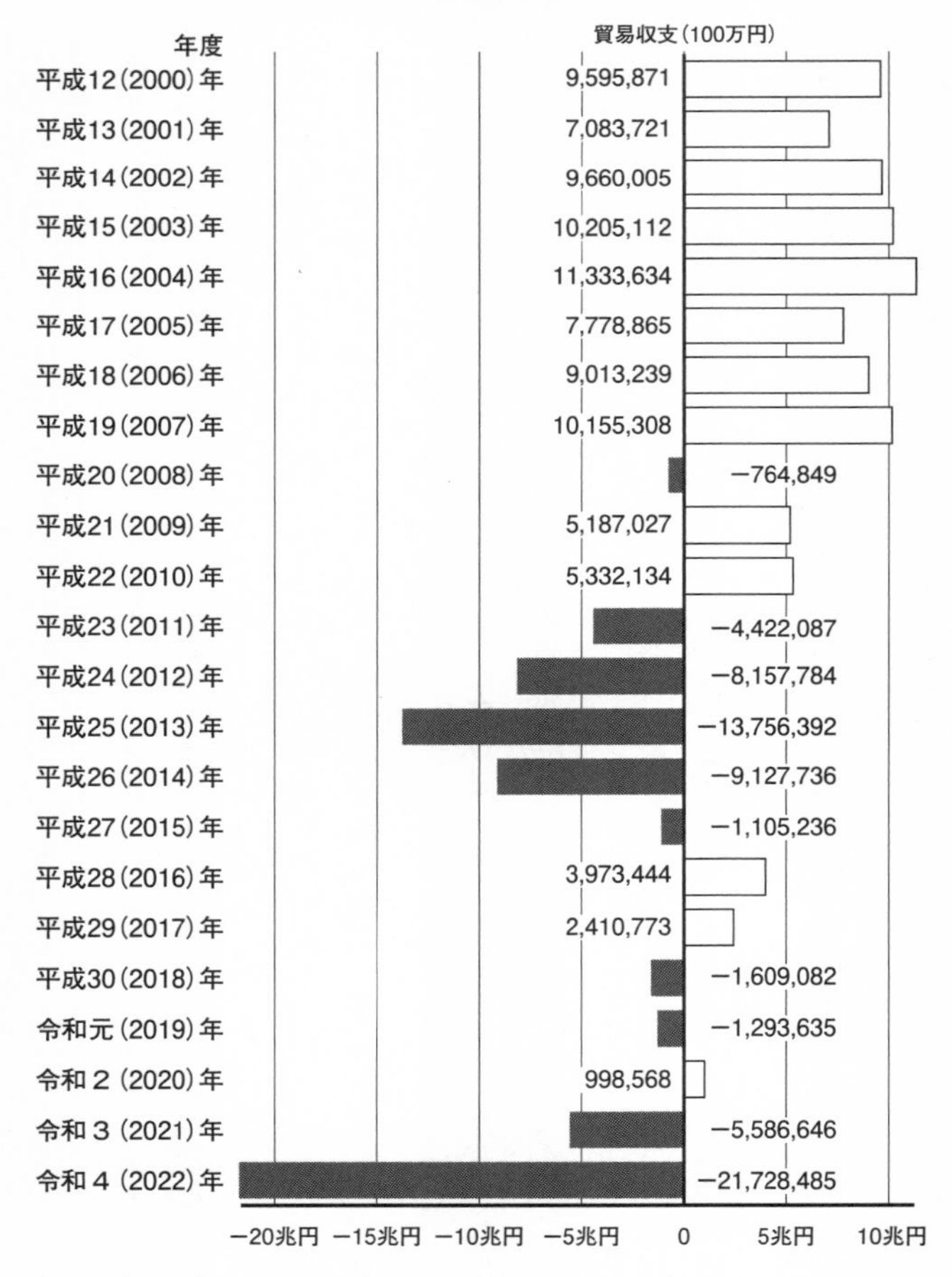


（注）平成12年度から令和３年度までは確定値、令和４年は速報値

出所：財務省貿易統計（2023年４月20日発表）

年比で77・6％増加した。さらに、２０２２年のドルの円に対する平均交換レートが、１ドル＝１３０円台を超えて、円安に大きく振れたことも影響している。

円安の一因は、日本と欧米の金利政策の違いだ。米国・連邦準備制度理事会と欧州中央銀行は、コロナ・パンデミックからの景気回復と、ロシアのウクライナ侵攻が引き起こしたインフレを抑制するために、ゼロ金利政策をやめて政策金利の引き上げを続けてきた。

これに対し、日本銀行は２０２３年7月末の時点でも金融緩和政策を取り続け、金利を引き上げていない。日銀は国債の半分近くを保有している。一部の金融専門家たちは、「金利が一定の水準を超えると国債の評価損が膨らんで、日銀が債務超過に陥る可能性がある」と指摘する。日銀はインフレ抑制などのために金利を引き上げたくても引き上げられない状態にある。

このため欧米と日本の間で金利差が拡大し、機関投資家が円を売ってドルやユーロを買う動きが強まった。世界中の投資家にとっては、金利が高いドルやユーロに投資したほうが、金利が低いままの円に投資するよりも、儲かるのだから当然だ。この金利差が、円安に拍車をかけ、輸入品が割高になりつつある。２０２３年春に日本を訪問した時、「物価上昇で困っている」という声を多くの市民から聞いた。

我々日本人は、エネルギーの89%を輸入している。この円安状態が長期的に続いた場合、将来エネルギーや食品の値段が徐々に高騰し、インフレが悪化する危険もある。インフレは、特に低所得層にとって大きな負担となる。我々庶民の日々の暮らしを守るためにも、日本政府はエネルギー自給率を早急に引き上げる必要がある。

# 第4章

# ウクライナ戦争で書き換えられた世界のエネルギー地図

## 欧州の脱ロシア、中国のエネルギー需要急増…で資源の争奪戦が始まった

## ▼日本でも電力価格が上昇

ここまでお話ししてきたように、ロシアのウクライナ侵攻によって世界のエネルギー情勢は大きく変わった。しかし多くの日本人にとって、ウクライナ戦争は遠い国の出来事だ。ほとんどの日本人は、日々の忙しさに追われて、エネルギー情勢の激変が自分たちの暮らしに及ぼす影響に気づいていない。

だが日本のエネルギー業界で働く人々は、そのことを感じ始めている。ロシアのウクライナ侵攻は、日本の電力会社の業績にも暗い影を落とした。

2023年4月28日に公表された、日本の大手電力会社の2022年度決算（2023年3月期）を見ると、最終損益は10社のうち8社が赤字だった。赤字額の合計は5861億円と、2013年3月期以来の水準となった。

業績悪化の最大の理由は、大手電力会社が火力発電所を運転するために外国から輸入する石炭など化石燃料の価格が、ウクライナ戦争の影響で高騰したためである。つまり燃料費用が高くなったために、火力発電所を運転して電力を売れば売るほど損失が膨らむ、逆ザヤの状態が生じた。さらに欧米との金利差が生んだ円安も、調達費用の高騰に拍車をかけた。一部の企業は、財務体質を改善するために、資本増強を迫られたり、銀行から緊急融資を受けたりした。

この決算内容は、プーチン大統領の侵略戦争の余波が、エネルギー料金の上昇という形で、我々日本人の足下にも押し寄せていることを示す。電力業界で、「天然ガス調達費用の高騰で苦境に陥ったドイツのユニパーの運命（第3章122ページ参照）は、他人事ではない」という囁き声を聞いた。実際、2022年度決算の内容は、巨額の赤字に苦しんだユニパーの状況を思い出させる。

燃料調達費用が増大した場合、電力会社はその一部を消費者に転嫁せざるを得ない。このため日本でも2022年の春から秋にかけて、電気料金に影響が出た。電力には、主に家庭が使う低圧、企業が使う高圧、特別高圧の3種類がある。高圧は中規模の工場、商業施設などに使われ、特別高圧は大規模な工場やオフィスビルなどに使われる。

電圧で見ると、低圧は交流では600ボルト（V）以下、直流では750V以下、高圧は交流では600Vを超え7000V以下、直流では750Vを超え7000V以下、特別高圧は交流、直流ともに7000Vを超えるものを指す。

このうち、家庭や商店、飲食店など向けの低圧と呼ばれる電気料金には、規制料金と自由料金の2種類がある。

日本政府は2016年4月1日に、電力の小売業への参入を全面自由化した。これによって、全ての消費者が電力会社や料金メニューを自由に選べるようになった。

しかし電力市場に競争原理が十分に浸透していない間は、消費者が電力会社から高い料金を押しつけられる可能性もある。そこで政府は消費者保護の観点から、上限がない自由料金だけではなく、値上げについては国の認可が必要な、上限付きの規制料金という制度も作った。消費者は、規制料金か自由料金のどちらかを選んで電気を買っているが、家庭のほぼ半数は規制料金の電気を買っている。

2022年の春から秋にかけては、自由料金が大きく上昇した。エネルギー情報センター（EIC）によると、低圧（従量電灯）の2021年2月の1kWhあたりの平均価格は19・43円だったが、2022年12月には31・24円となった。約1・6倍の増加である。

企業用の電力価格も一時大きく上昇した。EICによると、2020年5月には高圧の1kWhあたりの平均価格は全国平均で16・22円だった。2021年2月には一時的に12・9

円まで下がったが、その後反転し、2022年末には27・03円に達した。2020年5月に比べると、約1・7倍に増えた。

また特別高圧の1kWhあたりの平均単価は、2020年5月には12・8円だったが、2021年1月には9・65円にいったん減少。しかしその後は高圧と同じく上昇し、2022年末時点では23・11円に達した。2020年5月に比べて約1・8倍もの増加だ。

私が2023年春に東京で話を聞いたある大手メーカーの幹部は、「我が社は電力を多く使用するので、電気料金の上昇は頭が痛い問題だ」と語った。

ドイツと同じように、日本も特に中小企業にとって、電気代の上昇はボディーブローのように効いてきている。たとえば2023年4月7日、日本経済新聞は「ある大手自動車メーカーが取引先の部品会社の電力コストの一部を負担する方針」と報じた。同紙によると、このメーカーのある取引先企業では、2023年3月期の電力コストが前期に比べて1・8倍にもなった。このことは、特に中小企業にとって、2022年以降の電力コストの増加が大きな負担になっていることを示している。グローバルな生産システムを持つ大手企業は、エネルギー費用が高い国での生産を減らして、エネルギー費用が低い国での生産を増やすことが可能だが、下請け企業はそれができない。したがって、エネルギー費用の高騰は特に中小企業にとって大きな打撃となる。ドイツの中小企業が経験しているのと似た状況が、日本でも起きつつある。

## ▼日本の電気料金はまだまだ上がる?!

2022年の電気料金の上昇の原因は、再エネ賦課(ふか)金の増加、国内の電力供給不足による需給の逼迫と並んで、ウクライナ戦争によって世界中で化石燃料の価格が高騰したことだ。電気料金は、託送(たくそう)料金、再エネ賦課金など様々な項目から成っているが、その一つに燃料調整費がある。この項目は、化石燃料の価格などの変動に応じて、上下する。ロシアのウクライナ侵攻以降、燃料調整費は大幅に増加した。

特に日本のエネルギー業界に大きな影響を与えたのは、LNGと石炭の価格の上昇だった。EICによると、100万Btu（英熱量）あたりのLNGの価格は、2022年2月には14・49ドルだったが、同年10月には23・69ドルになった。

またオーストラリア産石炭1トンあたりの価格も、2022年2月の219・78ドルから、同年9月には430・81ドルに達した。

2022年春から秋にかけて家庭向けの低圧電力のための自由料金が一時高騰したのは、この燃料調整費が急増したためである。ただし日本政府が燃料調整費の一部を負担する「激変緩和措置（低圧では1kWhあたり7円を政府が肩代わりする）」を導入したため、2023年1月使用分（2月請求分）からは燃料調整費が減り、市民や企業の負担も一時的に緩和された。

ただし消費者は、まだ安心できない。その理由は、2023年6月1日に、電力会社7社が規制料金を引き上げたからだ。

経済産業省は同年5月19日、電力会社7社が燃料費の高騰などを理由に申請していた規制料金の引き上げを認可した。政府は電力会社が当初申請していた値上げ率を圧縮させたものの、結局は電力業界側の要請を受け入れた。これにより、家庭向けの電気料金は2023年6月1日から、5月に比べて800〜2700円増えた。

しかも政府が実施していた激変緩和措置の適用は、2023年1月使用分の電力から9月使用分までの電力に限定されている。このため今後も短期的には、日本で市民や企業のエネルギー費用負担が増える可能性がある。

発電に使われる化石燃料の調達費用が電力会社、企業、市民にとって重荷になりつつある点は、日独間で共通している。2022年秋に一部のドイツの電力会社が顧客に通知した2倍の値上げ幅（第1章23ページ参照）に比べるとまだ小さいものの、我が国でもロシアのウクライナ侵攻の余波で電気料金が上昇したことは間違いない。1年4ヶ月の時差を持って、戦争の衝撃波が日本の家庭の懐具合を直撃した。我々日本人も、世界のエネルギー情勢の激変から無縁でいることはできない。

## ▼電気料金が上がる日本ならではの事情

日本の電気料金が2022年春から秋にかけて急激に上昇した理由には、我が国特有の事情もある。それは、電源構成の中で化石燃料の比率が約76％（2019年度時点）ときわめて高いことだ。特に電源のほぼ3分の1が液化天然ガス（LNG）火力であるために、ロシアのウクライナ侵攻が引き金となった世界的な天然ガス価格の高騰が、電力価格を直撃した。

我が国の電源構成の中で化石燃料の比率が約76％と高い理由の一つは、東日本大震災だ。震災前には、日本では54基の原子炉が運転されており、電力の約30％を供給していた。しかし福島第一原子力発電所の炉心溶融事故以降、21基が廃止された。2023年2月までに再稼働した原子炉は10基にとどまる。

日本政府は、地球温暖化に歯止めをかけるために、2050年までに$CO_2$の排出量を実質ゼロにして「カーボンニュートラル」（社会全体で排出される$CO_2$と、植物などが吸収したり、炭素分離貯留技術〈CCS〉によって貯留されたりする$CO_2$を同じ量＝ニュートラルにすること）を達成するという目標を公表している。そのためには、電力の約76％が化石燃料から作られているという状況を、早急に変える必要がある。

実際資源エネルギー庁も、今後化石燃料の比率を下げることを目指してはいる。同庁が2021年10月に発表したエネルギー需給見通しによると、我が国は再エネの比率を2019年度の18％から2030年度には36～38％に引き上げる。さらに2023年夏以降7基の原子炉を再稼働させて、2030年度の電源構成に占める比率を6％から20～22％に増やす（図表4－1参照）。再エネと原子力の比率を増やすことで、$CO_2$排出量を減らすのは、英仏、スウェーデン、フィンランド、ポーランドなどと同じ戦略だ。

だが、計画通りに進んだとしても、日本の化石燃料の比率は、相変わらず高い。エネルギー需給見通しによると、2030年度になっても化石燃料の比率は41％とされている。

つまり今から7年経っても日本は、電力のほぼ4割を化石燃料に依存する。

これに対しドイツ政府は、電力消費量に再エネが占める比率を、2030年には80%、2035年には約100%に引き上げることを目指している（図表4－2参照）。$CO_2$排出量の削減と、エネルギー安全保障の強化を同時に実現するためだ。

国によってエネルギーを取り巻く環境が違うとはいえ、化石燃料への高い依存度は、世界的な脱炭素の流れに反する。また、電源構成の中で化石燃料の比率が高いという事実は、日本にとってのリスクを増加させる。貿易赤字を拡大させ、電力会社の経営を圧迫する。

日本政府のエネルギー需給見通しは、ロシアのウクライナ侵攻が起こる前の2021年10月に発表されたものだ。化石燃料への依存度が41%と高いのはそのためだ。ウクライナ戦争の勃発後に化石燃料の価格が上昇するなど、大きく変わったエネルギー情勢をまだ反映していない。

この政府発表によると、日本は2030年になっても、化石燃料の41%のうち約半分の20%を天然ガスに依存する、としている。しかしLNG依存は、高くつく可能性がある。エネルギー業界の関係者の間では、今後LNGをめぐる争奪戦が激化するという見方が有力だ。

## (図表4-1) 2030年になっても化石燃料に大きく依存する日本

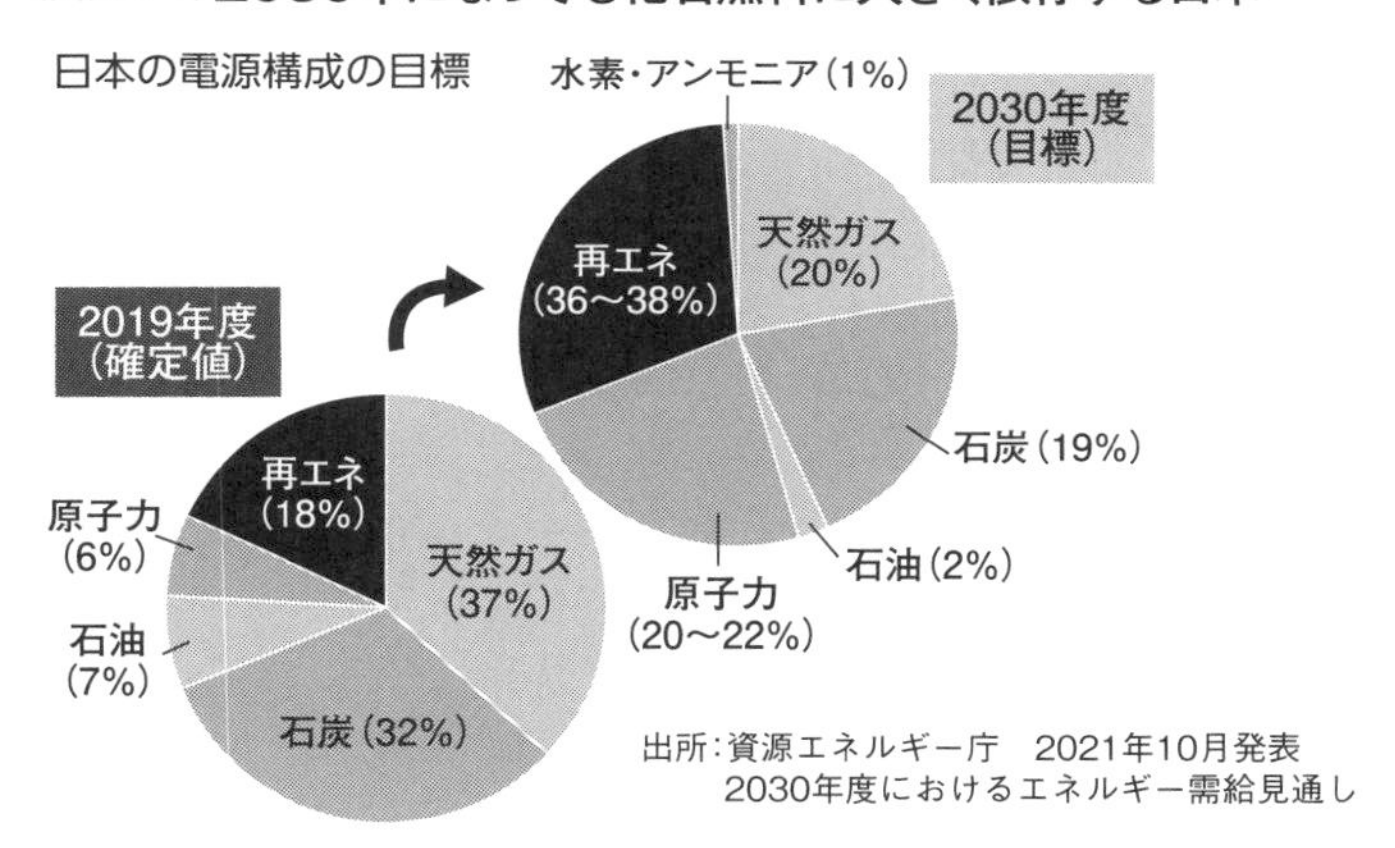


出所:資源エネルギー庁　2021年10月発表
2030年度におけるエネルギー需給見通し

## (図表4-2) ドイツの電源構成の実績と目標(電力消費量に占める比率)

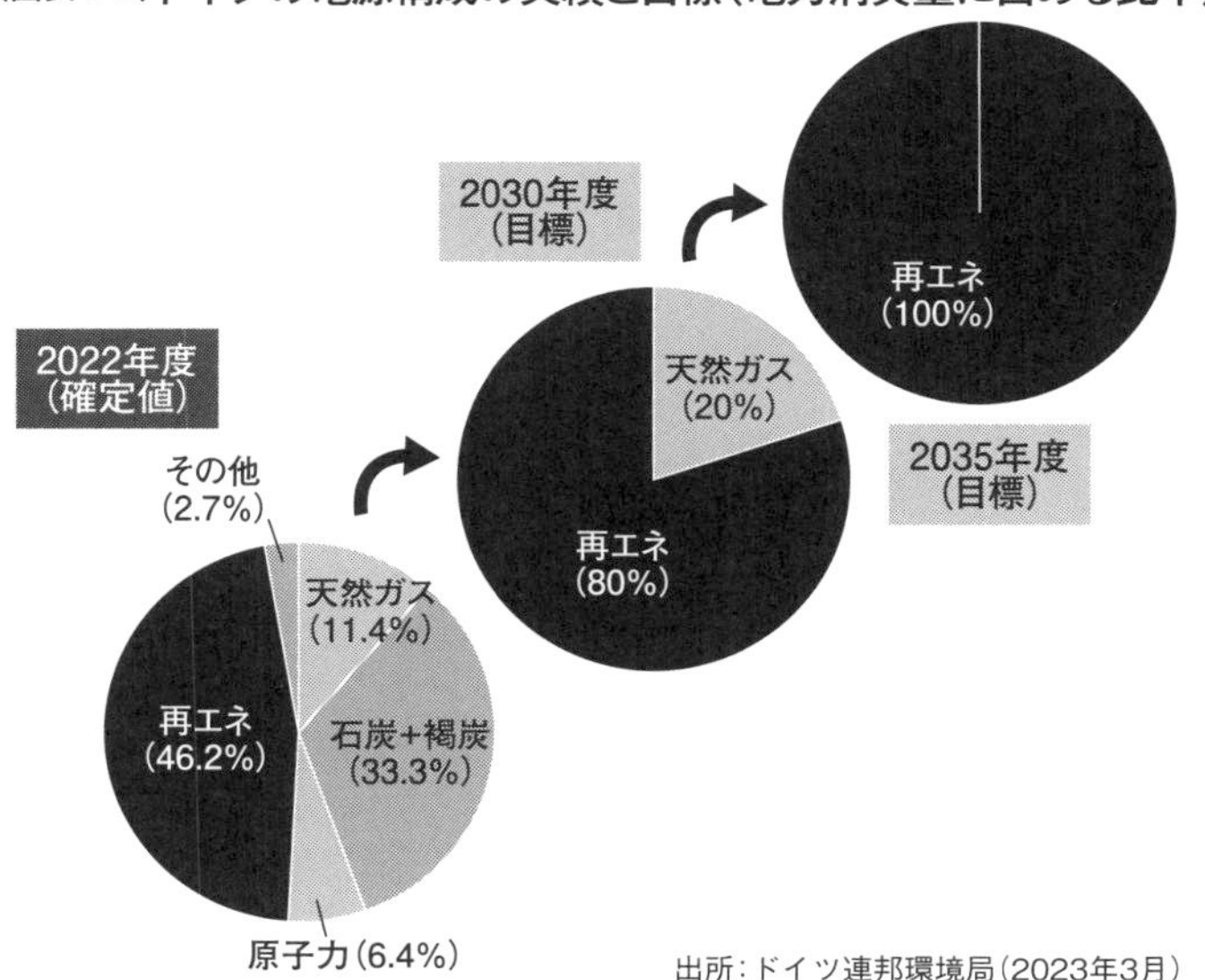


出所:ドイツ連邦環境局(2023年3月)

米国のエネルギー市場調査会社KPLERによると、2022年のEU加盟国のLNG輸入量は前年の5727万トンから9473万トンに増えた。LNG輸入量が65・4％も増加した理由は、ロシアが2022年8月に西欧への天然ガス輸出を停止したことの反動で、EU加盟国がロシア以外の国からのLNG輸入を増やしたからだ。

だが2022年にEUがLNGの輸入を前年比で65・4％も増やすことができた背景には、特殊事情もある。それは、中国政府が厳しいゼロ・コロナ政策を実施したために経済活動が停滞し、LNGの輸入量が減ったからである。2023年2月14日の中国税関の発表によると、2022年の同国のLNG輸入量は前年比で19・5％減った。

## ▼中国のゼロ・コロナ政策の撤廃と、エネルギー需要の拡大

だが中国は2022年12月にゼロ・コロナ政策を撤廃した。このため今後は中国での経済活動が再開され、LNGへの需要が増加する可能性が強い。コロナで押さえつけられていた眠れる獅子が目覚める。

中国のLNGへの「食欲」は、ドイツとは比較にならないほど大きい。2021年の中

国のＬＮＧ輸入量は、世界最大だった。２０２１年の中国の天然ガス消費量は前年比で12・５％増えて、約３６９０億立方メートルとなった。これはEU全体の毎年の天然ガス消費量（約４０００億立方メートル）にほぼ匹敵する量だ。

しかも欧州の天然ガス業界では、「中国のＬＮＧ需要は２０５０年まで増え続ける」という予測が出ている。２０１６年から２０２２年までイタリア最大の天然ガス輸送企業ＳＮＡＭの社長だったマルコ・アルベラ氏は、現在はグリーン水素（再エネによる電力で製造された水素）の取引企業ツリー・エナジー・ソリューション（ＴＥＳ）の社長である。アルベラ氏は、「中国の多くの家庭では、今も暖房や調理に石炭が使われている。このため、呼吸器系の病気にかかる市民が少なくない。中国政府は大気汚染を減らして市民の健康状態を改善するためにも、毎年１５００万世帯の家庭の熱源を石炭から天然ガスに変えている」と説明する。

アルベラ氏によると、ドイツには天然ガス地下貯蔵設備があり、真冬に天然ガスの輸入が断たれても少なくとも2ヶ月間持ちこたえる備蓄能力があるが、中国にはこれほど大規模な備蓄設備がないので、ＬＮＧを継続的に輸入しなくてはならない。

中国は２０２２年11月に、カタールエナジー社との間で、同国から27年間にわたって毎年400万トンのLNGを輸入する契約を結んだ。この契約は、世界で最も長期にわたるLNG供給契約の一つで、カタールに総額610億ドル（8兆5400億円）の収入をもたらす。

ロシアの天然ガス代替のためにLNG輸入に走る欧州。コロナ後にLNG需要を回復させる中国。当分の間は世界のLNG需要がふくらみ、仁義なきLNGの奪い合いの様相を呈する。当然、日本のLNG輸入にかかる費用も増大することは十分に考えられる。

こう考えるとLNGなど化石燃料に大きく依存する電源構成は、将来も2022年のように日本の国民生活や経済活動に大きな負担をもたらす可能性が高い。

このため日本は、ロシアのウクライナ侵攻後に激変したエネルギー市場の状況に合わせて化石燃料の比率を減らし、再エネを電源構成の柱とする新しいエネルギー戦略を構築する必要がある。

# 第5章

# 「エネルギー安全保障」で大きく後れを取る日本

## 経済の非グローバル化、ローカル化が日本を救う!?

## ▼「エネルギー安全保障」を高めるために必要な取り組み

第3章でお伝えしたように、日本のエネルギー自給率は2020年の時点でわずか11%と、G7諸国の中で最も低い。我々はこの現実を、どう考えるべきだろうか。

経済のグローバル化と国際分業がスムーズに進んでいた時代、地政学的リスクが高くなかった時代、サプライチェーンが滞っていなかった時代には、自給率の低さを放置しておいても、それが深刻な問題につながる危険性は低かったのかもしれない。

だが今やロシアのウクライナ侵攻が、欧州の安全保障の秩序を揺さぶっている。世論調査の結果を見ると、ドイツ市民の間では、将来ウクライナ戦争がNATO加盟国に飛び火し、欧州大戦に拡大することについて懸念する人も多い。万一ウクライナがロシアに支配されたら、クレムリンはバルト三国やモルドバに食指を動かすかもしれない。

現在欧州の天然ガス・電力価格は落ち着きを取り戻しつつあるが、もしノルウェーからドイツに天然ガスを送るパイプラインに破壊工作が行われた場合、エネルギー価格が再び高騰する可能性がある。犯人は特定されていないが、海底パイプライン・NS1が爆破される事件も起き、エネルギーのためのインフラの脆弱さが露呈された。エネルギー危機はまだ終わっていないのだ。

私は、こうした時代の変化に合わせて、日本もエネルギー自給率を増やすための努力を一刻も早く始める必要があると思っている。エネルギー自給率を高めて電源構成を変えること、外国からの化石燃料への依存度を減らすことは、一朝一夕にはできない。自給率を高めるには、10年、20年単位の努力が必要である。したがって、政府と民間が一丸となって、エネルギー自給率を増やす努力をただちに始める必要がある。

我々はすでに、偏ったエネルギー・ミックスが引き起こした危機の例を見た。それは、「ロシアは信頼できるパートナーだ」と信じ込み、いびつなエネルギー調達の仕方を長年放置したために躓(つまず)いた、ドイツだ。ロシアが2022年8月に天然ガスの供給を止めた時、ドイツ経済界は一時パニック状態に陥った。ドイツはあと一歩のところで深刻なガス不足に陥り、経済と市民生活に大打撃を受けるところだった。

ドイツは割安のロシア産天然ガスへの依存症に陥り、プーチン大統領が経済と市民生活を人質に取ることを許した。もともと心配性で、リスク意識が高く、石橋を叩いて渡るはずのドイツですら、このようなミスを犯した。ドイツと同じく天然資源が少ない貿易立国・

日本にとって、この国の失敗から学べることは多い。

日本は、原油輸入量のほぼ9割を中東地域に依存するという状況を、できるだけ早く変える必要がある。第3章でお伝えしたように、中東ではイランをめぐる地政学的な状況が依然として不透明であり、政治的に安定した地域とは呼べない。

中国政府がサウジアラビアとイランの関係改善の橋渡しをしたこととは対照的に、日本政府の国際的な影響力は非常に限られている。日本政府は、米独英仏、中国などに比べると、国外の安全保障をめぐる交渉に加わることに消極的だ。日本政府はイランとの核合意に関する交渉にも参加しなかった。この交渉に加わったアジアで唯一の国は、中国だった。外交の舞台で、中国の影響力が増大し、我が国の影が薄くなりつつあることは否定しようがない。このため日本政府や経済界が、中東での緊張緩和のために大きな影響力を行使することは、ほぼ不可能だ。

「攻め」の姿勢を取れないならば、「守り」を強化するしかない。日本は中東情勢がエスカレートする最悪のシナリオを想定し、日本への悪影響を最小限に留めるための対策を事前に採る必要がある。さもないと、ウクライナ戦争が勃発してからLNG陸揚げターミナルを建設し始めたドイツのような、泥縄的対応を強いられる。日本が今始めるべきことは、

（１）原油輸入先の多角化によるリスクの最小化
（２）再エネ拡大によるエネルギー自給率の引き上げ

の2つの戦略を並行して同時に進めることだろう。

## リスクを最小限にする知恵

１つ目の戦略は、中東以外の国からの原油の輸入量を増やすなどして、輸入先を多角化することだ。輸入量の国別の比率を極力小さくすることによって、その国からの輸入が途絶えた時のショックを小さくする。「誰でも思いつきそうなことだ」と笑われるかもしれないが、調達先の分散は、リスク管理の基本だ。原油の9割以上を一つの地域に依存する現在の日本のエネルギー政策は、リスク管理の原則に反している。

リスク分散の例を挙げよう。ポーランドは、２０１６年の時点では天然ガス輸入量の89％をロシアに依存していた。バルト三国（エストニア、リトアニア、ラトビア）のロシア依存度はさらに高く、2012年にこれらの国々が輸入した天然ガスの100%が、ロシアからだった。だが彼らはドイツよりも早く、ロシアに依存することの危険性に気づき、手を打ち始めた。

ポーランドは2011年にロシアの天然ガスへの依存度を減らすために、バルト海に面したスウィノースチェにLNG陸揚げターミナルの建設を始めた。2014年にプーチン大統領がクリミヤ半島に戦闘部隊を送って併合し、危険な態度を見せ始める3年前から、準備を整え始めた。今考えると、ポーランドは先見の明があったと言うべきである。

リトアニアは2012年にクライペダ港に浮体式LNG再ガス化設備（FSRU）の接岸作業を開始し、2014年に稼働させた。これらの国々はロシアが将来天然ガスを政治的な武器として使う危険性があると考えたのだ。ロシアのパイプラインを通じた天然ガスに比べるとLNGの価格は割高だったが、ポーランドなどの国々は、危険な隣国への依存を続けるのではなく、天然ガス調達先の多角化という道を選んだ。

これに対しドイツは2022年にロシアのウクライナ侵攻が起きるまで、LNG陸揚げターミナルの建設やFSRUの設置を行わなかった。そのために2022年以降は、泥縄式の対応を迫られた。ドイツ人たちは、ロシアが天然ガスを脅迫のための政治的武器として使うリスクを過小評価したために、ブラック・スワンの出現を予想できなかった。第二次世界大戦後50年近くソ連の支配体制の下で苦しんできたポーランドやバルト三国のリスク評価のほうが、ドイツよりも正確だった。

欧米には、「信頼するのは良いことだ。だが、チェックすることはもっと良いことだ」という警句がある。他人を盲目的に信頼するのではなく、相手が信頼に足る人物であるかどうかを点検するべきだという意味だ。このことには、外国からのエネルギー調達についてもあてはまる。

## 再エネ拡大は地球温暖化対策のためだけではなくなった

経済産業省や、日本のエネルギー業界関係者は「他の国からの輸入比率を引き上げるのが難しいから中東の比率がこれほど高くなっている。ＬＮＧの多くは、長期契約で取引されている。このため、ロシアからの輸入量を代替するために、簡単に他の国からの輸入量を増やすことはできない。原油の輸入先の分散化・多角化も簡単ではない」と主張するかもしれない。

輸入先の多角化ができないのならば、国内で作れるエネルギーの比率を増やすしかない。そこで重要になるのが、2つ目の戦略、つまり再生可能エネルギー（再エネ）拡大による自給率の引き上げだ。

ドイツは過去のエネルギー政策の失敗に対する反省から、ロシアのウクライナ侵攻後、この戦略を加速し始めた。ドイツ人たちは再エネ拡大により、中長期的に化石燃料の消費量を減らしてエネルギーの自給率を増やそうとしている。ロシアの化石燃料への依存を減らし、経済安全保障の確保につなげるためだ。

ドイツは社会民主党（SPD）と緑の党の左派連立政権（シュレーダー政権・1998〜2005年）の下で、初の脱原子力法を施行させた。脱原子力は、1980年に結党された緑の党の悲願だった。同政権は、原子力エネルギーを代替するために、2000年に再エネ促進法（EEG）を施行させ、風力や太陽光による発電量を増やす政策を取り始めた。

政府は送電事業者に対して、電力需要の有無にかかわらず、再エネ電力を政府が決めた高い価格で買い取ることを義務付けた。日本とは違って、送電事業者が「再エネ電力はこれ以上受け入れません」と拒否することは許されなかった。しかも投資家のリスクを減らすために、再エネ電力の買取価格は20年にわたって固定された。政府はこれらの政策によって、投資家の再エネ発電設備建設プロジェクトへの投資を促進し、一時的に「再エネブーム」を引き起こした。

その結果、電力消費量に再エネ電力が占める比率は、2000年の6・5%から、2022年末には46・2%に増えた。22年間で再エネ比率を約7倍に増やしたのだ。

ドイツ政府は、ウクライナ戦争が勃発する前から、2030年までにこの比率を80%に引き上げるという目標を持っていた。しかしロシアのウクライナ侵攻は、ドイツ政府の再エネ拡大政策をさらに加速させた。

連邦経済気候保護省のハーベック大臣(緑の党)は、ロシアのウクライナ侵攻が始まった後の2022年4月6日に「エネルギー緊急措置パッケージ」を公表し、「2035年までに再エネ比率をほぼ100%に引き上げる」という新しい目標を発表した。風が弱い日や太陽が照らない日にバックアップとして電力を発電する水素発電所を除けば、国民が使う電力を再エネだけでまかなうという大胆な計画だ。

政府の「2035年までに再エネほぼ100%」の方針は、2022年の復活祭(キリスト教の祭日)直前に公表されたため「復活祭パッケージ」とも呼ばれる。ロシアに振り回されたドイツのエネルギー政策、経済政策を健全な状態に「復活」させるための法案である。政府はこの中で、再エネ促進法、陸上風力発電法、洋上風力発電法など5つの法律を大幅に改正した。改正点を記した文書は、500ページを超える。

ハーベック大臣は復活祭パッケージを公表した際に、熱っぽい口調で「世界各地で気候変動が深刻化している。これに加えて、ロシアのウクライナ侵攻は、化石燃料から脱却し再エネを拡大することがいかに重要であるかを、改めて示した。地球温暖化との戦いに加えて、エネルギー転換を急がなくてはならない理由が、もう一つ増えた」と語った。

## ▼ドイツ政府が行った思い切った施策

ドイツ政府はロシアのエネルギーを輸入することのリスクに気づき、2000年から続けてきた再エネ拡大のアクセルを、さらに深く踏み込んだ。ハーベック大臣は「復活祭パッケージは、エネルギー政策に関する法改正としては、ここ数十年間で最大の規模を持っている。我々は陸地に、海上に、そして建物の屋根の上に、これまでの3倍のスピードで再エネ発電設備を設置する」と述べた。

50ヶ所を超える改正点の中で最も注目すべき点は、政府が再エネ促進法の中に「我が国がカーボンニュートラルを達成するまで、再エネ発電設備や送電線の建設は、あらゆるものに優先する公共的な利益だ」という一文を盛り込んだことだ。今は再エネ拡大や再エネ電力を送るための送電線の建設を優先させ、他のことは全て後回しにするというのだ。この一文は、きわめて重要な意味を持っている。

その理由を説明しよう。ドイツ人は自然を愛し、環境保護を重視する民族だ。このため田園地帯や森林の真ん中に風力発電設備や高圧送電線が建設されることについて、反対する市民も多い。「電力アウトバーン」とも呼ばれる高圧送電線は、風が強いドイツ北部に多い陸上風力発電設備で作られた電力を、大消費地である南部に送る上で不可欠だ。

たとえば野鳥保護団体が「野鳥の生息地に風力発電設備を設置すると、野鳥がブレードに激突したり、卵を産む場所を奪われたりする」と主張し、各地で風力発電設備の建設差し止めを求める訴訟を起こした。訴訟の数は、一時300件を超えた。住民たちも「風力発電設備や高圧送電線が建設されると景観が損なわれ、不動産の資産価値が下がる」として訴訟を起こした。

こうした態度をNIMBY(Not in my backyard)と呼ぶ。原則として再エネ拡大に賛成するが、自宅の近くに風力発電設備が建設されるのは困るという「総論賛成・各論反対」の姿勢だ。

こうした訴訟が多発したために、地方自治体は以前よりも建設許可申請の審査に時間をかけざるを得なくなり、2018年以降、陸上風力発電設備の新設数が伸び悩んだ。たとえば2002年にはドイツで2328基の陸上風力発電設備が建てられたが、2019年には約7分の1の325基に落ち込んでしまった。発電事業者が陸上風力発電設備の建設許可申請を地方自治体に提出してから、発電設備の運転を開始するまでに7年もかかるようになった。建設差し止めを求める訴訟が増え、審査に時間がかかるようになると、再エネ発電設備の建設にお金を出す投資家も尻込みしてしまう。

このためハーベック大臣は「ドイツがカーボンニュートラルを達成するまでは、野鳥や景観の保護などの要請よりも、再エネ発電設備や高圧送電線の建設を優先する」という原則を2023年度再エネ促進法に盛り込ませた。その他の市民の要求については、優先順位を引き下げた。「まず再エネ拡大を一番に行い、野鳥保護など他の要求は後回し」というわけだ。

この条文により、野鳥保護団体などが、陸上風力発電設備や高圧送電線の建設差し止めを求める訴訟を起こしても、法廷で勝てる見込みは激減した。将来は再エネ拡大のためのインフラづくりを遅らせる裁判の件数が減ると予想されている。

さらにハーベック大臣は、環境影響評価や行政手続きの簡素化などによって、再エネ発電設備の建設許可申請の審査にかかる時間を、これまでの半分に減らすよう命じた。

日本でも一部の市民が「再エネ発電設備は自然破壊につながる」として反対する動きがある。日本政府が将来再エネ比率の引き上げを真剣に目指すのならば、ドイツ政府が行ったような思い切った法律改正が必要だろう。

## エネルギー安全保障が「経済安全保障」に直結

ドイツがこれまで再エネを拡大してきた主な動機は、$CO_2$を減らし地球温暖化や気候変動の進行に歯止めをかけること、つまり持続可能性（サステナビリティ）だった。これに対して、ロシアのウクライナ侵攻が始まってからは、「再エネ拡大によってエネルギー自給率を高めることで、外国への依存を減らす」という経済安全保障上の理由が加わった。

ドイツ人たちは、２０２２年のロシアの豹変を目のあたりにして、外国からの化石燃料への過度の依存が、自国産業を脅かすことを学んだ。

「エネルギー安全保障の鍵は、再エネ拡大による自給率の引き上げだ」と考えているのは、ドイツだけではない。EUもウクライナ戦争をきっかけに、再エネ拡大と経済の脱炭素化へ向けて、アクセルを強く踏み込んだ。欧州委員会のウルズラ・フォン・デア・ライエン委員長は2022年5月18日、ロシアの化石燃料への依存を終えるために、2030年までに、再エネ拡大などの非炭素化プロジェクトに3000億ユーロ（45兆円）を投資する方針を明らかにした。

モビリティーの電化も、外国の化石燃料からの脱却を加速する。2023年2月14日に欧州議会は、2035年以降いわゆるノーエミッションカー（無排出車）以外の新車の販売を原則として禁止するという法案を可決した。

この決定によって、EU域内では、BEV（100%電気だけで走る車）と燃料電池車以外の新車の販売が2035年以降、原則として禁止される（合成燃料を使う車は除く）。世界の主要経済圏の中で、2035年以降、ガソリンかディーゼルエンジンを使った新車の販売禁止の期日を決めたのは、欧州が最初だ。

欧州の状況は、ロシアやサウジアラビアなどの産油国にとって、彼らが長年頼ってきた伝統的なビジネスモデルの終章が始まったことを意味する。ＢＥＶが普及しても、電力に化石燃料で発電された電力が使われているのでは、$CO_2$削減につながらない。その意味でＥＵ加盟国は、消費電力の中で化石燃料由来の電力の比率を早急に下げる必要がある。

つまりドイツ人、そして欧州人たちは、再エネ発電容量を増やすことがエネルギー自給率の引き上げとエネルギー安全保障につながると考えているのだ。

## 再エネの発電コストは本当に高いのか

日本では、「再エネ電力は割高である上に、日本は風が弱いなど地理的に再エネ発電には向いていない」という先入観を持っている人が多い。

実際、国際エネルギー機関（ＩＥＡ）は、２０２０年に公表した報告書の中で、「再エネの価格競争力には、国によって違いがある」と指摘した。たとえばＩＥＡは、「日本では太陽光の発電設備の１MWhあたりの発電費用（１７２ドル）は、天然ガス（93ドル）よりも84・９％高い。陸上風力の発電費用（１４０ドル）は、天然ガスの１・５倍である」と述べている。日本では原子力発電設備の発電費用は87ドルで、他のエネルギー源よりも低いと推測されている。

これに対し、欧州では太陽光の発電費用は70ドルで、日本の半分に満たない。天然ガスの発電費用（71ドル）とほぼ同じだ。米国でも太陽光の発電費用は44ドルで、天然ガス（45ドル）と肩を並べる（図表5－1参照）。

このようにＩＥＡは、「欧州や米国では、再エネの化石燃料に対する優位性が大きい。日本では化石燃料や原子力のほうが、再エネよりも優位性が高い」と指摘している。なぜ日本の再エネ発電コストが欧米中に比べてこれほど高くなるのかについての理由は、説明されていない。

だが２０２２年のロシアのウクライナ侵攻以降は天然ガス価格が高騰したことから、日本でも再エネと化石燃料の立場が逆転することは十分にありうるだろう。

興味深いことに、日本の資源エネルギー庁も、「２０３０年には再エネの化石燃料に対する優位性が増す」と予測している。

資源エネルギー庁は２０２１年12月28日に公表した報告書の中で、「２０２０年の日本での太陽光発電設備（事業用）の１kWhあたりの発電費用は12・９円だったが、２０３０年には８・２～11・８円に下がる」と予想している。

(図表5-1) 日本の再エネの発電コストは欧米中に比べてはるかに高い

主要国・地域の発電コストの格差

単位　ドル／MWh

| 国または地域 | 石炭 | 天然ガス(CCGT) | 原子力 | 陸上風力 | 洋上風力 | 太陽光 |
|---|---|---|---|---|---|---|
| 日本 | 100 | 93 | 87 | 140 | 200 | 172 |
| 欧州 | 記載なし | 71 | 71 | 55 | 90 | 70 |
| 米国 | 110 | 45 | 71 | 39 | 66 | 44 |
| 中国 | 75 | 84 | 66 | 58 | 82 | 51 |

資料:IEA(Projected costs of generating electricity 2020)

(図表5-2) 日本政府も再エネ発電の石炭に対する価格優位性が高まると予測

2020年の発電コストの実績と2030年の予測

単位＝円／kWh

| | 2020年実績 | 2030年予測 |
|---|---|---|
| 太陽光(事業用) | 12.9 | 8.2 ～ 11.8 |
| 洋上風力 | 30.0 | 25.9 |
| 石炭火力 | 12.5 | 13.6 ～ 22.4 |
| 原子力 | 11.5 | 記載なし |

資料:資源エネルギー庁

逆に石炭火力発電設備の1kWhあたりの発電費用は、$CO_2$対策費用の増加によって、2020年の12・5円から2030年には13・6～22・4円に上がると予想されている。つまり日本でも、再エネはコスト面で石炭火力よりも優位に立つケースが出てくるというのだ(図表5－2参照)。

ちなみにIEAや資源エネルギー庁の報告

書に記載されている発電費用には、発電による外部費用（社会的費用）は含まれていない。たとえば石炭や褐炭を燃やして発電することによる大気汚染や、$CO_2$排出による気候変動の影響によって社会に生じる費用は除かれている。

また資源エネルギー庁の原子力の発電費用に、高レベル放射性廃棄物の最終貯蔵処分設備の建設費と運営費が含まれているのかどうかも、明記されていない。会計検査院によると、福島原発事故の処理費用は２０２１年度までに12兆円にのぼっているが、日本経済研究センターは、２０１９年に「最終的な事故処理費用は35兆円から81兆円に達する可能性がある」という試算を公表している。

## ▼原子力発電をめぐる欧州諸国の温度差

さて欧州のエネルギー情勢の変化について語る際には、この地域で起きている「原子力ルネサンス」についても触れる必要がある。ドイツは２０２３年4月15日に最後の原子炉3基を廃止し、約62年間にわたる原子炉の商業運転の幕を閉じた。しかし欧州全体を見渡すと、２０１１年の福島事故をきっかけに原発廃止を完遂したドイツは、欧州では少数派である。

フランス、英国、フィンランド、スウェーデンだけではなく、中東欧諸国も今後は原子力発電を拡大する方針を表明している。

たとえばポーランドは現在原発を使っていないが、２０３０年代には最初の原発を稼働させる予定だ。ベルギーは、発電量の39％を原子力でまかなっている。同国は２０２５年までに６基の原子炉を全廃する予定だったが、ロシアのウクライナ侵攻後政策を転換して、現在使っている原子炉のうち、デール４号機とティアンジュ３号機の２基の運転期間を２０３５年まで延長した。これまでに脱原子力を実現したのはドイツ、オーストリア、イタリアの３ヶ国だけだ。

ロシアのウクライナ侵攻以降、欧州の大半の国々では、発電量に原子力と再エネからの電力が占める比率を増やすことによって、ロシア産化石燃料への依存を終えようとする動きが強まっている。同時にＥＵ加盟国は、２０５０年までにカーボンニュートラルを達成しなくてはならない。つまり欧州の多くの国々にとって、原子炉の運転期間の延長と増設は、脱ロシアと脱炭素を同時に達成するための鍵なのである。

欧州では、２０１１年に日本で起きた、西側諸国で最悪の原発事故に関する記憶は、すっかり薄れた。「喉元過ぎれば熱さを忘れる」という雰囲気である。

欧州委員会も、脱炭素に貢献する経済活動を網羅したリスト（EUタクソノミー）に一定の条件下で原子力を記載したり、原子炉からの電力を使って作られた水素（レッド水素と呼ぶ）を、再エネ電力で作られたグリーン水素と同列に並べて、補助金政策の面で優遇を試みたりするなど、原子力を後押ししている。

EUは明らかに、「脱ロシアと脱炭素には再エネだけではなく原子力も必要」という戦略を取っている。これは、フランスやポーランドなど、原子力推進国と欧州の原子力産業が、EUに対して強力なロビー活動を行った結果だ。欧州委員会のフォン・デア・ライエン委員長が、2019年にこの要職に就くことができたのは、原子力大国フランスのマクロン大統領の強い推薦があったことと無関係ではない。欧州の原子力産業は、長年にわたって「原子力は地球温暖化に歯止めをかける上で鍵となる技術だ」と主張してきた。

ただしドイツやオーストリアでは、原子力のカムバックについて、批判も強い。ドイツのショルツ政権の連立与党の一党である緑の党は、「原子力は持続可能なエネルギーではない。たとえば、高レベル放射性廃棄物の最終貯蔵処分に関する具体的なスケジュールが決まっている国は、ごくわずかだ」と原子力推進に反対している。実際、2023年4月の時点で高レベル放射性廃棄物の最終貯蔵処分設備の場所が決まった国は、フィンランドとスウェーデン、スイスだけだ。

多くのＥＵ加盟国が今後原子炉を増設すれば、高レベル放射性廃棄物は増えていくが、その処理のためのスケジュールがほとんどの国で決まっていないことは、大きな懸念の種である。

## 原子力発電を進めることで起こる新たなロシア依存

さらに注意すべきことがある。欧州で原子力を拡大することは、必ずしもエネルギー自給率の増加につながらないということだ。ＥＵは、原子力発電のための燃料となるウランや原子燃料を域外から輸入している。特に、欧州での原子力発電に今なおロシアからのウランが使われていることは、原子力ルネサンスのアキレス腱である。このことは、欧州でも日本でもあまり知られていない。

ロシアは化石燃料だけではなく、原子力発電のための燃料でも、世界のエネルギー市場で重要な地位を占めている。原子炉用ウランの濃縮能力の市場では、ロシアの国営企業ロスアトムが世界の45・9％ものシェアを持っている（2020年時点）。

欧州原子力共同体（EURATOM）によると、2021年にEU域内の電力会社が輸入したウランのうち19・69％がロシアから輸入されていた。ロシアの友好国カザフスタンの比率（22・99％）と合わせると、42・68％になる（図表5－3参照）。

EUはウクライナ戦争が始まってからも、ロシアからの原子燃料を経済制裁の対象としていない。EUはロシアのウクライナ侵攻開始後、ロシアからの航空機のEU域内への着陸を禁止したが、ロシアから原子燃料を運ぶ輸送機については、着陸を許可するという、矛盾したスタンスを採っている。

その理由は、中東欧を中心とするEU加盟国5ヶ国がロシア製の加圧水型原子炉（VVER）を使っており、原子燃料を100％ロシアに依存しているからだ。チェコが6基、ハンガリーとスロバキアがそれぞれ4基のVVERを使っている。

EU域内の原子炉のうち、ロシアの原子燃料に依存するのは18基にのぼる。スロバキアが2022年にロシアの原子燃料を買うために支払った代金は前年比で72％、ハンガリーの支払額は65％増えている。

EUが2022年にロシア産ウランを経済制裁措置の対象に含めなかったのは、これら

（図表5-3）EU加盟国が消費するウランの約5分の1をロシアが供給

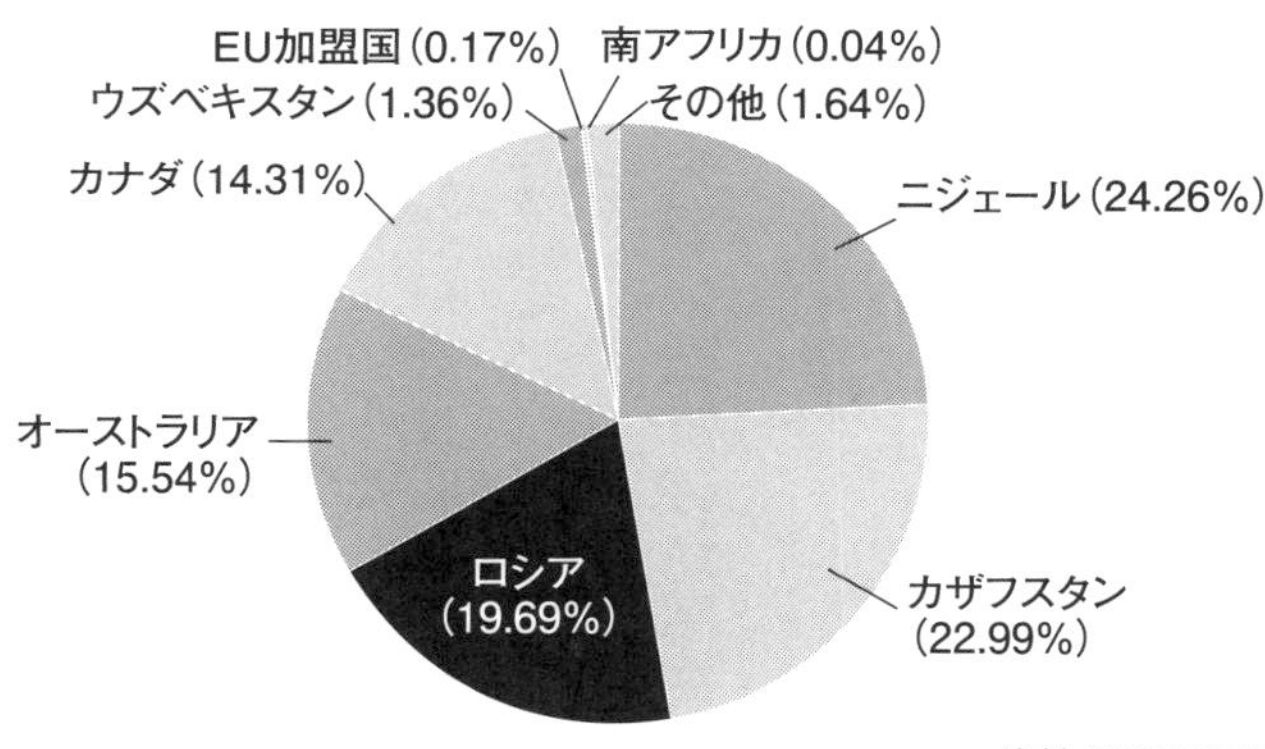

資料：EURATOM

の国々に配慮したからだ。ＥＵがロシア産天然ガス、石炭、原油の輸入を禁止しても、同国産ウランの輸入を禁止しないのでは、「制裁措置の抜け穴」と批判されても仕方がない。

ウクライナ政府と欧州議会は、欧州委員会に対して、ロシア産の化石燃料だけではなくウランも経済制裁措置に含めて、この抜け穴を閉じるように求めている。しかし親ロシア傾向が強いハンガリーのビクトル・オルバン首相は、「原子力発電に影響を与えるいかなるＥＵの決議案にも、拒否権を行使する」と述べている。

ＥＵでは原則として、反対する国が１ヶ国でもあると、経済制裁などに関する法案を採択することはできない。ＥＵがロシアからのウランの流れを止めることは、化石燃料以上に難しいかもしれない。

そう考えると、多くのＥＵ加盟国が経験しつつある原子力ルネサンスも、ウラン輸入先の脱ロシア・多角化を進めなければ、天然ガスと同じ失敗を繰り返すことになるかもしれない。

そういう意味でも、ＥＵ諸国にとっては、原子力への依存度を極端に増やすことなく、再エネ比率の拡大を目指すことが重要だ。幸い日本はウランをニジェールやオーストラリア、カナダなどから輸入しており、ロシアには依存していない。

## ▼再エネ拡大で中国依存が高まるジレンマ

さらに言えば、ドイツなどＥＵ諸国が進めている再エネ拡大や経済の脱炭素化も、ＥＵ域内で採取できる資源や材料だけで進められるわけではない。陸上風力発電設備のブレードや、太陽光発電パネルを製造するには、中国など外国からの天然資源が不可欠である。

モビリティーの脱炭素化で重要な役割を果たすＢＥＶのリチウムイオン電池の世界市場では、中国のシェアが約80％に達する。

中国はロシアに似た強権国家であり、議会制民主主義や三権分立、言論の自由、少数民族の人権などの原則を重視しない国だ。ＥＵは中国についても、ロシア同様に「欧米の価値観との衝突」が起きる可能性があると見ている。したがってＥＵは将来、重要な原材料については中国経済への依存度を減らす方針を持っている。ドイツなどＥＵ加盟国が長年にわたりロシアの化石燃料に依存して、大失敗した経験を繰り返さないためだ。

将来、万一中国が台湾に対する武力攻撃を行った場合、ＥＵは中国に対してもロシア同様に厳しい経済制裁措置を実施せざるを得ない。このため欧州人たちは、中国への依存度を減らしながら、再エネ拡大やモビリティーのグリーン化に必要な天然資源をいかにして確保するかについて、対策を練り始めている。

たとえば欧州非鉄金属連合会（EUrometaux）は、２０２２年4月に「クリーンなエネルギーのための金属」と題した報告書を公表した。報告書は、同連合会がベルギーのＫＵルーヴェン大学のリースベット・グレゴワール研究員らに委託して作成させたもの。グレゴワール氏らはこの報告書の中で、「欧州では風力発電所、太陽光発電所の増設やＢＥＶの増加のために、２０５０年までに非鉄金属、リチウム、希土（レアアース）などへの需要が爆発的に高まる」と主張している。

この報告書によると、ＥＵ加盟国の風力発電設備の製造に必要な非鉄金属の需要量は、２０２０年には7万５０００トンだったが、２０５０年には１７５％増加して20万６０００トンになる。ＢＥＶの電池に必要な素材の需要量は、２０２０年の3万４０００トンから約38倍に増えて、１２８万７０００トンになると予想されている。特にリチウムの需要量はこの期間に2万３０００トンから８６１万トンに増える（３７４倍の増加）。

風力発電設備のタービンに必要な永久磁石の製造には、プラセオジムという希土の一種が使われる。ＥＵ域内での風力発電設備の増設に必要なプラセオジムの量は、２０２０年から２０５０年までに６６４％増加すると予想されている。しかもこうした非鉄金属や希土はＥＵだけではなく、米国やアジア諸国でも需要が高まるので、これらの天然資源の争奪戦が展開される可能性が強い。

## ▼経済安全保障のために希少資源のリサイクル推進を

ドイツではすでに希少資源の輸入量の中で、中国の比率が高いことを問題視する声が上がっている。

ドイツ連邦統計局によると、同国は２０２２年1月から11月に希土を５３００トン輸入したが、65・９％が中国からの輸入だった。さらに、そのうち永久磁石の製造に使われるプラセオジム、ランタン、ネオジム、サマリウムの75・４％が中国から輸入されていた。ドイツ経済研究所（ＤＩＷ）のルーカス・メンクホフ研究員は、「ロシアのウクライナ侵攻は、強権国家からの天然資源への依存が自国の経済にいかに深刻な打撃を与えるかをはっきり示した。中国からの希土への高い依存度を減らすために、オーストラリア、インド、ブラジルなどからの調達量を増やすべきだ」と主張する。

そこで欧州非鉄金属連合会が提案しているのが、希少資源のリサイクルだ。現在欧州ではアルミ、銅、亜鉛の40〜55％がリサイクルされているが、太陽光発電設備に使われる珪素や電気自動車に使われるリチウムのリサイクル率はゼロである。

このため同連合会は、「ＥＵ域内に珪素やリチウムなどのリサイクル制度を構築して、２０５０年の珪素のリサイクル率を24％、リチウムのリサイクル率を77％に高めるべきだ」と提案している。またコバルトのリサイクル率を２０２０年の８％から２０５０年には67％に、プラセオジムなどの希土のリサイクル率を２０５０年に１００％に引き上げることも提案されている。

我々はリサイクルという言葉を聞くと、ペットボトルや紙などを想像しがちだが、欧州では21世紀の経済活動を左右する、戦略的に重要な鉱産資源のリサイクルが焦点となっている。

このようにウクライナ戦争によるエネルギー情勢の激変は、戦略的に重要な鉱産資源に対する欧州のスタンスにも変化を及ぼしている。我々が今目撃しているのは、生産費用を抑えるために極端なまでに進んだ「国際分業と経済のグローバル化」という映画の逆回し、つまり経済の非グローバル化、ローカル化の動きである。

発電の主役が化石燃料から再エネに代わっても、限りある資源の奪い合いの構図は変わらない。日本の多くのメディアは大きく報道していないが、重要資源をめぐる争奪戦は、我々日本人にとっても、決して「海の向こうの話」ではすまない。

# 第6章

# ウクライナ戦争後の日本のエネルギー危機を回避するために

## エネルギーを知ることは、自分たちの生活を守ること

## ▼ウクライナ戦争前までは電気・ガス料金に関心が薄かったドイツ人

じつはドイツでも、ウクライナ戦争の影響で電気代やガス代が高騰するまで、電気やガスの購入契約書を一度も読んだことがないという人が多かった。彼らも「電気やガスは、常に割安の値段でふんだんに使えるのが当たり前」と信じて疑わなかったからだ。

人間は空気がないと生存できないが、誰も空気がなくなるという事態を想定していない。多くの人にとってエネルギーは、空気のようなものだった。そのため、大半の人は日々の暮らしに追われて、エネルギーを買うための契約書を最後まできちんと読んだことがなかった。

「電力会社やガス会社はどういう時に料金の引き上げを許されているのか？　消費者は値上げに対してどういう手立てを取れるのか？　電気代やガス代を滞納したら何が起こるか？　なぜ天然ガスの卸売価格が上昇すると、電気代も上がるのか？　エネルギーの料金を払えなくなったら、誰に相談すればよいのか？」こうした問いにすぐに答えられる人は、少なかった。高所得者の中には、自分が電気代やガス代、暖房代をどれだけ払っているかについて、あまり注意を払っていない人も多かった。

だがロシアのウクライナ侵攻の影響で、電力会社やガス会社が料金を2倍あるいはそれ以上に引き上げると通告してから、市民たちはあわてて自分が持っている契約書をきちんと読むようになった。ドイツ政府が2023年から実施した補助金による激変緩和措置も、電力会社やガス会社に値上げを禁止するわけではなく、値上げ幅を抑えるにすぎなかったからである。

多くのドイツ人にとっては、ウクライナ戦争がきっかけとなって、エネルギーについての常識が変わった。2022年2月24日を境に、ロシアは信頼するに足るエネルギーの供給国ではなくなった。ロシアの割安の天然ガスはもはやドイツに到達しない。ドイツはカタールや米国などから、ロシアの天然ガスよりも大幅に高いLNGを買わなくてはならなくなった。地政学リスクが、エネルギーを通じて市民と企業の懐具合を直撃する時代になった。

## ▼エネルギーのリスクマネジメントが薄れてきている日本人

２０１１年に福島原発事故が起きるまで、日本人の多くは、エネルギー問題に関する知識や関心が乏しかった。福島第一原子力発電所で原子炉を覆う建屋が爆発したり、東京で前例のない計画停電が行われたりするなど異例の事態が起きたために、事故の直後には、多くの人がエネルギー問題に関心を持った。たとえば東京都民の多くは、自分たちが使っている電気が福島や新潟にある原子力発電所からも送られていることを、この事故によって初めて知った。だが福島原発事故から12年が過ぎて、人々の関心や知識が再び薄れていることを感じる。

たとえば日本では、西日本と東日本で電力の周波数が異なる。西日本は60ヘルツ、東日本は50ヘルツだ。これは明治時代に大阪電灯株式会社が発電機を米国から、東京電灯株式会社が発電機をドイツから購入したためだ。そのため、東日本で原子炉事故などのために電力需給が逼迫しても、西日本から電力を融通できないことを、多くの人が初めて知った。

欧州では各国の周波数は50ヘルツで統一されているので、国境を越えた電力の売買は日常茶飯事になっており、ある国で需給が逼迫した場合には、隣の国からすぐに電力を融通できるようになっている。ＥＵは、あたかも一枚の銅板のような「単一電力市場」を生み出し、各国間の電力売買をさらに促進することによって、電力の安定供給を確保しようとしている。

私は２０１１年の福島原発事故によって、明治時代に端を発する違いが今なお生きていることを知って驚いた。しかし福島原発事故での経験にもかかわらず、それから12年経っても万一に備えた制度改革が行われていないことには、もっと驚いた。西日本と東日本の間に変換器を設置すれば、東西間で電力融通が可能になるが、費用がかかるという理由で実現していないのだ。

福島原発事故は、「日本では原子炉事故は起きない」と信じることが、非科学的であることを示した。２０１１年にある電力関係者は、「事故は絶対に起きないという、宗教のような考えに我々はとらわれていました。原子力教とも言うべき考え方でした」といくばくかの反省を込めて語っていた。

東日本大震災は、１０００年に一度の規模の大災害だったが、この地震が最後の巨大地震ではない。我々は、地震が多い国で生きている。

京都大学の鎌田浩毅名誉教授は、「南海トラフを震源とする巨大地震が2030年と2040年の間に発生することは、ほぼ間違いない」と述べている。平田直・東京大学名誉教授も「南関東でのマグニチュード7程度の地震（首都直下地震など）や南海トラフ地震は、今後30年以内に70%程度というきわめて高い確率で発生することが推定されている」と語っている。国土技術研究センターによると、日本の国土の面積は、世界の面積の0・28%にすぎない。しかし2000年から2009年にかけて世界で起きたマグニチュード6以上の地震の約20%が、日本または日本周辺で起きている。

本来ならば、万一の事態に備えて、東西間で電力を融通できるようにすることは、きわめて重要である。東西間で電力融通できるシステムを作ることの費用が、民間企業にとって過重であるならば、なぜ政府が財政出動して、国民の生活や企業活動にとって重要な投資を行わないのか。政府は、エネルギーの安定供給を確保するために、東西日本の間で電力の融通をできるような体制を整えるべきではないだろうか。

今の状態では、日本政府はリスクマネジメントをおざなりにしていると批判されても仕方がない。福島原発事故によって、日本社会のリスクマネジメントの杜撰さがあちこちで表面化したが、その経験が教訓として生かされていない。

## ドイツで原子炉を廃止できた決断の背景

一方ドイツ人は、エネルギー問題や環境問題については、福島原発事故が起きる前から我々日本人よりも豊富な知識を持ち、関心も高かった。その理由の一つは、１９８６年のチェルノブイリ原発事故による南ドイツでの放射能汚染などによって、敏感にならざるを得なかったからだ。

市民の期待に応えて、新聞社や放送局、ニュース雑誌もエネルギー問題、環境問題について日本のメディアよりもはるかに頻繁に報じていた。ドイツ人たちは、２０１１年に日本からの福島原発事故に関する映像を見て、「日本ほど技術水準が高い国でも原発事故は防げない」と考え、脱原子力を法律によって加速し、２０２３年4月15日に最後の3基の原子炉を廃止した。この決断の背景には、市民のエネルギー問題・環境問題についての強い関心と深い知識があった。

## ▼エネルギー情勢の激変から日本人の生活を守る6つの提言

私は、世界のエネルギー情勢が激変し、ロシアのウクライナ侵攻前の常識が通用しなくなった今、我々日本人もエネルギー問題への関心を高め、知識を蓄えるべきだと思っている。エネルギー情勢の変化にどう対応すべきかを学ぶことは、自分たちの生活を守ることにもつながるからだ。

そこでこれまで本書で論じてきたことを踏まえて、日本人に次のような意識を強く持ってほしいと思っている。

**その1**「ウクライナ戦争で浮き彫りになった世界のエネルギー事情の大変化の中で、日本が置かれた現状とこれからを理解しておく」

**その2**「エネルギー事情の大変化が、自分の生活や仕事に将来どのような影響を及ぼすかを、予測しておく」

**その3**「自分が使っている電気やガスが、何をエネルギー源としていて、どこから来ているのか、どんなリスクがあるのかを理解しておく」

**その4**「どこの電力会社やガス会社とどんな契約をしていて、毎月どのくらいの出費や、昨今、どのくらい料金の上がり下がりがあるかを、きちんと把握しておく」

**その5**「どうすれば電気やガスの使用量を減らし、料金の節約になるかを考えておく」

**その6**「地球環境のためにも、日本のエネルギー安全保障のためにも、個人の生活を守るためにも、再エネにはどんなものがあって、日本ではどのような取り組みがなされ、個人としてどう関わっていくかを考え、行動する」

その6について言えば、たとえば日本で再エネ100%の電気料金メニューがあるのかどうかを調べ、もしもそうしたメニューがあれば、再エネからの電気だけを日々の暮らしの中で使うことは第一歩だ。まず身のまわりでできることから始めたい。

ドイツ人たちは、ウクライナ侵攻後、エネルギーが供給されることの有難さを身に染みて感じた。

そして、多くのドイツ人たちは、ウクライナ戦争によって、電気・ガスについて知識を蓄え、細部を理解することの重要性を知った。今では２０２２年の経験に基づいて、政府、企業、市民もエネルギーについての知識をより深め、以前よりも的確に対応できる態勢を整えつつある。その意味で、ドイツはロシアのウクライナ侵攻という冷水を浴びせられて、過去の失敗から学び、エネルギーに関しては大人になったということができる。

世界のエネルギー情勢の激変は、欧州だけではなく日本にも深甚（しんじん）な影響を与える。まずはエネルギーについての知識を深めることが、第一歩だ。

## ▼生活安全保障のためにワークライフバランスの改善を

エネルギーについて知識を深めるには、それなりに時間がかかる。そのためには、ワークライフバランスを改善することも必要だ。本業の課題を処理するので精一杯で、自分のための時間を取れなければ、エネルギーのように複雑な問題について知識を深める余裕を持てない。

拙著『ドイツ人はなぜ、1年に150日休んでも仕事が回るのか』（青春新書インテリジェンス）で指摘したように、我々の職業生活の中には、少しの工夫で仕事の効率を上げられる部分がある。同じ成果を上げるならば、短い労働時間、少ないストレスで働くほうが得だ。仕事の効率が上がれば、自分や家族のための時間も増える。自分が自由に使える時間が増えれば、我々の生活にとって不可欠なエネルギー問題について学ぶ時間も生まれる。

日本にはエネルギー問題を軽視する風潮すらある。私が2001年にドイツの電力市場について記事を書き始めたと聞いて、旧友から「なぜそんなつまらないテーマを扱うのか」と言われたことがある。「たかが電気」という言い方をする人もいる。

だがロシアのウクライナ侵攻後のドイツでのエネルギー危機を目撃した私は、とても「たかが電気」という言葉は使えない。ドイツよりもはるかに深刻なエネルギー危機を体験している国もある。2022年から2023年にかけての冬、ウクライナではロシア軍が発電所や変電所をミサイルなどで攻撃した。このため多くのウクライナ市民が厳しい寒さの中で、電灯はおろか暖房や水道も使えなくなった。電気がなければ、トイレも満足に使えない。市民を苦しめるためにエネルギーのインフラを意図的に攻撃する行為は、戦争犯罪である。

ウクライナの例が示すように電気やガスは、現代人にとって生活の前提だ。我々日本人も、今起きつつあるエネルギー情勢の激変をきっかけとして、これまでの無関心な態度を改めて、エネルギーについての知識を蓄え、政府やエネルギー企業に対して自分の意見を言うべきだと思う。

## ▼日本人一人ひとりに今、求められていること

市民がエネルギーについての知識を蓄えれば、今、日本がエネルギー自給率を高め、経済安全保障を強化するには、再エネ拡大が最も適していることを理解できるだろう。

資源エネルギー庁は、2024年にもエネルギー5ヶ年計画の中で、将来の電源構成（エネルギー需給見通し）を公表する予定だ。私は日本のエネルギー自給率を少しでも高めるために、将来の電源構成の中で再エネの比率を思い切って増やすべきだと思う。前回

公表した２０３０年の電源構成の中で、化石燃料が40％を超えているのは、世界の趨勢に逆行するものだ。

再エネ電力を普及させるためには、送電線（系統）の拡充が必要だ。電力を送るためのキャパシティーが不足すると、せっかく発電できるはずだった再エネ電力が、「出力抑制」によって生まれなくなる。もったいない話である。

系統建設には多額の費用がかかる。電力会社がこの費用を負担し切れない時には、政府が補助金などによって支援すべきだろう。

$CO_2$削減と自給率引き上げによる経済安全保障という、公共性が強く、日本の国益に資する２つの目標に貢献するのだから、再エネ拡大のための系統建設に国が乗り出すことには、大きな意義がある。日本政府も、電源構成の中の再エネ比率を引き上げて化石燃料の比率を引き下げるために、再エネ普及に欠かせない系統建設への財政出動に踏み切るべきだろう。

なぜそういった財政出動が必要なのかを理解するためにも、我々市民はエネルギーに関する知識を蓄えて、選挙を通じて発言していく必要がある。「たかが電気」とせせら笑っていられる時代は、終わった。

# おわりに

私は毎年1~2回日本に来て、講演を行ったり、ジャーナリストや企業関係者と意見交換をしたりする。2023年に日本に滞在した時には、「欧州から約1万キロ離れている日本では、ウクライナ戦争に対する切迫感が弱い」と強く感じた。テレビでは軍事専門家が、毎日のようにウクライナでの戦闘の状況について細かく解説している。しかしこうした解説からは、この戦争が我々の生活をどう変えようとしているのかは、伝わらない。

これに対しドイツに住んでいると、天然ガス・電気料金の2倍を超える急騰や、一部のエネルギー企業やメーカーの経営難といった形で、ロシアのウクライナ侵攻が引き起こしたエネルギー危機を肌身で感じる。もしも企業や市民が天然ガスを十分に節約せず、欧州が北米のような猛烈な寒波に襲われ、ノルウェーなどの国々からドイツへの天然ガス供給にも支障が生じていたら、ドイツは第二次大戦後最も深刻な経済危機に陥るところだった。

ウクライナ戦争によって世界のエネルギー情勢が音を立てて変化している今、我々日本人にとってもエネルギー問題について知識と関心を深めることは、不可欠だと思う。

私のようにドイツに住む者の体験をお伝えすることによって、日本の皆さんにも是非エネルギーに関する知識と関心を深めていただきたいと思い、この本を執筆した。

一人でも多くの読者に、エネルギー問題の重要さを理解していただければ、望外の幸せである。

2023年7月　ミュンヘンにて

熊谷　徹

## 参考ウェブサイト・資料


週刊東洋経済　2023年2月18日号

ドイツ連邦系統規制庁

https://www.bundesnetzagentur.de/cln_112/DE/Home/home_node.html

ドイツ連邦経済気候保護省

https://www.bmwk.de/Navigation/DE/Home/home.html

ドイツ連邦環境消費者保護省

https://www.bmuv.de/

ドイツ連邦エネルギー水道事業連合会

https://www.bdew.de/presse/presseinformationen/

国際エネルギー機関

https://www.iea.org/

ラザード

https://www.lazard.com/

経産省・資源エネルギー庁
https://www.meti.go.jp/shingikai/enecho/shigen_nenryo/pdf/033_s03_00.pdf

欧州連合統計局
https://ec.europa.eu/eurostat/de/home

ドイツ連邦統計局
https://www.destatis.de/DE/Home/_inhalt.html

bp
https://www.bp.com/content/dam/bp/business-sites/en/global/corporate/pdfs/energy-economics/statistical-review/bp-stats-review-2022-full-report.pdf

ARD（ドイツ公共放送連盟）　ターゲスシャウ
https://www.tagesschau.de/

フランクフルター・アルゲマイネ（FAZ）紙
https://zeitung.faz.net/faz/seite-eins/

日本経済新聞、Der Spiegel、Die Zeit、Süddeutsche Zeitung、Welt、Handelsblatt, T-Online など

# 青春新書
## *INTELLIGENCE*

こころ涌き立つ「知」の冒険

### いまを生きる

"青春新書"は昭和三一年に──若い日に常にあなたの心の友として、その糧となり実になる多様な知恵が、生きる指標として勇気と力になり、すぐに役立つ──をモットーに創刊された。

そして昭和三八年、新しい時代の気運の中で、新書"プレイブックス"にその役目のバトンを渡した。「人生を自由自在に活動する（プレイ）」のキャッチコピーのもと──すべてのうっ積を吹きとばし、自由闊達な活動力を培養し、勇気と自信を生み出す最も楽しいシリーズ──となった。

いまや、私たちはバブル経済崩壊後の混沌とした価値観のただ中にいる。その価値観は常に未曾有の変貌を見せ、社会は少子高齢化し、地球規模の環境問題等は解決の兆しを見せない。私たちはあらゆる不安と懐疑に対峙している。

本シリーズ"青春新書インテリジェンス"はまさに、この時代の欲求によってプレイブックスから分化・刊行された。それは即ち、「心の中に自らの青春の輝きを失わない旺盛な知力、活力への欲求」に他ならない。応えるべきキャッチコピーは「こころ涌き立つ"知"の冒険」である。

予測のつかない時代にあって、一人ひとりの足元を照らし出すシリーズでありたいと願う。青春出版社は本年創業五〇周年を迎えた。これはひとえに長年に亘る多くの読者の熱いご支持の賜物である。社員一同深く感謝し、より一層世の中に希望と勇気の明るい光を放つ書籍を出版すべく、鋭意志すものである。

平成一七年　　　　刊行者　小澤源太郎

著者紹介

熊谷　徹〈くまがい とおる〉

1959年東京生まれ。早稲田大学政経学部卒業後、NHKに入局。ワシントン支局勤務中に、ベルリンの壁崩壊、米ソ首脳会談などを取材。90年からはフリージャーナリストとしてドイツ・ミュンヘン市に在住。過去との対決、統一後のドイツの変化、欧州の政治・経済統合、安全保障問題、エネルギー・環境問題を中心に取材、執筆を続けている。

著書に『ドイツ人はなぜ、1年に150日休んでも仕事が回るのか』『ドイツ人はなぜ、年290万円でも生活が「豊か」なのか』『ドイツ人はなぜ、年収アップと環境対策を両立できるのか』(いずれも小社刊)など多数。『ドイツは過去とどう向き合ってきたか』(高文研)で2007年度平和・協同ジャーナリズム奨励賞受賞。

次に来る日本のエネルギー危機　青春新書 INTELLIGENCE

2023年8月15日　第1刷

著　者　熊谷　徹

発行者　小澤源太郎

責任編集　株式会社プライム涌光
電話　編集部　03(3203)2850

発行所　東京都新宿区若松町12番1号 〒162-0056　株式会社青春出版社
電話　営業部　03(3207)1916　振替番号　00190-7-98602

印刷・中央精版印刷　製本・ナショナル製本

ISBN978-4-413-04676-3

こころ涌き立つ「知」の冒険！

# 青春新書 INTELLIGENCE

こころ涌き立つ「知」の冒険!

# 青春新書 INTELLIGENCE

|  |  |  |
| --- | --- | --- |
| 弘兼流 やめる! 生き方 | 弘兼憲史 | PI・602 |
| 会社を離れても仕事が途切れない7つのツボ | 伊藤賀一 | PI・603 |
| ウイルスに強くなる「粘膜免疫力」 | 溝口 徹 | PI・604 |
| 認知症グレーゾーン 「人の名前が出てこない」だけではなかった | 朝田 隆 | PI・605 |
| 感情を〝毒〟にしないコツ 心と体の免疫力を高める「1日5分」の習慣 | 大平哲也 | PI・606 |
| 日本の神様の「家系図」 あの神様の由来と特徴がよくわかる | 戸部民夫 | PI・607 |
| 英会話 言わなきゃよかったこの単語 | デイビッド・セイン | PI・608 |
| 脳科学者が教える「ストレスフリー」な脳の習慣 | 有田秀穂 | PI・609 |
| ボケたくなければ「奥歯」は抜くな | 山本龍生 | PI・610 |
| リーダーとは「言葉」である 行き詰まりを抜け出す77の名言・名演説 | 向谷匡史 | PI・611 |
| 心をリセットする技術 自衛隊メンタル教官が教える | 下園壮太 | PI・612 |
| 「エビデンス（科学的根拠）」の落とし穴 | 松村むつみ | PI・613 |
| 自分で考えて動く部下が育つすごい質問30 | 大塚 寿 | PI・614 |
| 血糖値は「腸」で下がる 腸からインスリン・スイッチをオンにする生活習慣 | 松生恒夫 森 豊 | PI・615 |
| 最速で体が変わる「尻（しり）」筋トレ 1日5分! 世界標準の全身ビルドアップ術 | 弘田雄士 | PI・616 |
| 〝スカノミクス〟に蝕（むしば）まれる日本経済 | 浜 矩子 | PI・617 |
| 教科書の常識がくつがえる! 最新の日本史 | 河合 敦 | PI・618 |
| ビジネスが広がるクラブハウス | 武井一巳 | PI・619 |
| 語源×図解 くらべて覚える英単語 | 清水建二 | PI・620 |
| ストレスの9割は「脳の錯覚」 思考グセに気づけば、もっとラクに生きられる | 和田秀樹 | PI・621 |
| 還暦からの人生戦略 最高の人生に仕上げる〝超実践的〟ヒント | 佐藤 優 | PI・622 |
| 2035年「ガソリン車」消滅 | 安井孝之 | PI・623 |
| 2030年を生き抜く会社のSDGs | 次原悦子 サニーサイドアップグループ | PI・624 |
| ミッドライフ・クライシス | 鎌田 實 | PI・625 |

こころ涌き立つ「知」の冒険!

# 青春新書 INTELLIGENCE

|  |  |  |
|---|---|---|
| 語源×図解 もっとくらべて覚える英単語 名詞 | 清水建二 | PI·650 |
| いちばん効率がいい すごいジム・トレ | 坂詰真二 | PI·651 |
| 結局、年金は何歳でもらうのが一番トクなのか | 増田 豊 | PI·653 |
| 「メンズビオレ」を売る 進学校のしかけ | 青田泰明 | PI·654 |
| 日本人が言えそうで言えない 英語表現650 | キャサリン・A・クラフト 里中哲彦[編訳] | PI·655 |
| 世界史で読み解く名画の秘密 | 内藤博文 | PI·656 |
| 教養としての ダンテ「神曲」〈地獄篇〉 | 佐藤 優 | PI·657 |
| 人生の頂点(ピーク)は定年後 | 池口武志 | PI·658 |
| 相続格差 「お金」と「思い」のモメない引き継ぎ方 | 天野 隆 税理士法人レガシィ | PI·659 |
| 俺が戦った真に強かった男 | 天龍源一郎 | PI·660 |
| NFTで趣味をお金に変える | tochi | PI·661 |
| ドイツ人はなぜ、年収アップと 環境対策を両立できるのか | 熊谷 徹 | PI·662 |
| 【最新版】「脳の栄養不足」が 老化を早める! | 溝口 徹 | PI·663 |
| 人が働くのはお金のためか | 浜 矩子 | PI·652 |
| 弘兼流 好きなことだけやる人生。 | 弘兼憲史 | PI·664 |
| 「発達障害」と 間違われる子どもたち | 成田奈緒子 | PI·665 |
| 井深大と盛田昭夫 仕事と人生を切り拓く力 | 郡山史郎 | PI·666 |
| 世界史を動かしたワイン 教養と味わいが深まる魅惑のヒストリー | 内藤博文 | PI·667 |
| 【改正税法対応版】「生前贈与」 そのやり方では損をする | 税理士法人レガシィ 天野 隆 天野大輔 | PI·668 |
| 9割が間違っている 「たんぱく質」の摂り方 | 金津里佳 | PI·669 |
| 70歳から寿命が延びる腸活 | 松生恒夫 | PI·670 |
| 飛ばせる・撮れる・楽しめる ドローン超入門 | 榎本幸太郎 | PI·671 |
| 70歳からの「貯筋(ちょきん)」習慣 | 生島ヒロシ 鎌田 實 | PI·672 |
| 英語は「語源×世界史」を知ると面白い | 清水建二 | PI·673 |

お願い ページわりの関係からここでは一部の既刊本しか掲載してありません。
折り込みの出版案内もご参考にご覧ください。